Carlo Guastalla

giocare con la scrittura
attività e giochi per scrivere in italiano

ALMA Edizioni - Firenze

Progetto grafico e impaginazione: **Andrea Caponecchia**

Copertina: **Sergio Segoloni**

Illustrazioni: **Mordechai**

Redazione: **Ciro Massimo Naddeo**

Printed in Italy

ISBN 88-86440-88-X

© **2004 Alma Edizioni**
Ultima ristampa: settembre 2005

Alma Edizioni
viale dei Cadorna, 44
50129 Firenze
tel ++39 055476644
fax ++39 055473531
info@almaedizioni.it
www.almaedizioni.it

Indice

Tavola sinottica pag. 4

Introduzione pag. 6

Unità

1. Presentazioni pag. 10
2. Cartolina pag. 13
3. La stanza di… pag. 16
4. Slogan pag. 19
5. La strada per… pag. 25
6. Istruzioni per l'uso pag. 30
7. Chi è? pag. 35
8. Trama di un film pag. 40
9. Articolo di cronaca pag. 44
10. Pubblicità pag. 47
11. Statistiche pag. 52
12. Che testo è? pag. 55
13. Biografia pag. 59
14. Ricetta pag. 65
15. E-mail pag. 70
16. Protestare pag. 73
17. Corrispondenza pag. 79
18. Opinione pag. 84
19. Esposizione pag. 90
20. Formalità pag. 96
21. Letteratura pag. 101

Giochi

1. Ricostruzione di testo pag. 106
2. Cinque domande pag. 108
3. Indovinello pag. 110
4. Lipogramma pag. 111
5. Parole inventate pag. 112

Istruzioni per l'insegnante pag. 113

Soluzioni pag. 118

Tavola sinottica

unità	pag.	titolo	liv.	contenuti grammaticali	contenuti comunicativi	tipologia testuale
1	10	**Presentazioni**	*	- presente indicativo	- saper presentare se stessi	testo descrittivo
2	13	**Cartolina**	*	- espressioni di tempo e di luogo	- saper raccontare	testo narrativo
3	16	**La stanza di...**	*	- locuzioni preposizionali	- saper descrivere un luogo	testo descrittivo
4	19	**Slogan**	*	- lessico della pubblicità	- saper esprimere un'opinione	testo argomentativo
5	25	**La strada per...**	**	- imperativo	- saper dare indicazioni	testo regolativo
6	30	**Istruzioni per l'uso**	**	- imperativo singolare e plurale	- saper scrivere istruzioni	testo regolativo
7	35	**Chi è?**	**	- aggettivi	- saper descrivere una persona	testo descrittivo
8	40	**Trama di un film**	**	- indicativo presente e futuro	- saper raccontare una trama	testo narrativo
9	44	**Articolo di cronaca**	**	- passato prossimo e imperfetto	- saper scrivere un articolo di cronaca	testo narrativo
10	47	**Pubblicità**	**	- lessico	- saper descrivere in base al destinatario	testo argomentativo
11	52	**Statistiche**	***	- preposizioni	- saper svolgere una ricerca	testo descrittivo / espositivo
12	55	**Che testo è?**	***	- coerenza testuale	- saper raccontare in base al destinatario	testo narrativo
13	59	**Biografia**	***	- articoli - preposizioni - ordine degli eventi	- saper scrivere una biografia	testo descrittivo

Tavola sinottica

unità	pag.	titolo	liv.	contenuti grammaticali	contenuti comunicativi	tipologia testuale
14	65	**Ricetta**	∗∗∗	- avverbi di modo e tempo - avverbi derivati	- saper dare istruzioni	testo regolativo
15	70	**E-mail**	∗∗∗	- formule di apertura e chiusura e-mail	- saper scegliere il giusto registro linguistico	diversi tipi testuali
16	73	**Protestare**	∗∗∗∗	- perifrasi verbali - abbreviazioni	- saper argomentare le proprie ragioni	testo argomentativo
17	79	**Corrispon-denza**	∗∗∗∗	- formule di apertura e chiusura - domande retoriche	- acquisire competenza sociolinguistica e pragmatica	diversi tipi testuali
18	84	**Opinione**	∗∗∗∗	- connettivi	- saper argomentare con efficacia	testo argomentativo
19	90	**Esposizione**	∗∗∗∗	- posizione degli aggettivi	- saper esporre e interpretare dei dati	testo espositivo
20	96	**Formalità**	∗∗∗∗	- connettivi e indicatori di forza - coerenza testuale	- saper argomentare in ambito formale	testo argomentativo
21	101	**Letteratura**	∗∗∗∗	- passato remoto - coerenza e coesione	- saper scrivere un racconto di fantasia	testo narrativo

gioco	pag.	titolo	obiettivo
1	106	**Ricostruzione di testo**	ricostruire un articolo di cronaca
2	108	**Cinque domande**	costruire un articolo di cronaca
3	110	**Indovinello**	giocare con le parole e creare indovinelli
4	111	**Lipogramma**	riscrittura di un testo
5	112	**Parole inventate**	scrivere un racconto di fantasia

Introduzione

Struttura del libro

"Giocare con la scrittura" è un manuale dedicato all'abilità di produzione scritta. Può essere usato come testo unico su cui incentrare un corso di scrittura o come libro di supporto nelle lezioni di lingua.

Si rivolge ad apprendenti di ogni grado di competenza nell'italiano, dal principiante all'avanzato, e si presta ad essere utilizzato nei corsi di italiano per stranieri ma anche nella scuola italiana con studenti madrelingua.

È organizzato in **21 Unità** di difficoltà progressiva, divise in quattro livelli.

L'opera è completata da **5 Giochi di coppia o di gruppo**, utilizzabili a vari gradi di competenza degli studenti e della classe.

Alla fine del libro si trovano le **Istruzioni per l'insegnante**, che danno indicazioni su come proporre nel modo migliore i giochi inseriti nelle unità, e le **Soluzioni** di tutti gli esercizi.

Struttura delle unità

Ogni unità di solito tratta un **Genere testuale** (cartolina, articolo di cronaca, lettera commerciale…) appartenente ad uno specifico **Tipo testuale** (descrittivo, narrativo…) e si propone di analizzarne le caratteristiche allo scopo di rendere gli studenti più consapevoli delle peculiarità strutturali da adottare nelle attività produttive.

I tipi testuali considerati in questo volume sono: narrativo, descrittivo, regolativo, espositivo, argomentativo.

Questa classificazione rappresenta naturalmente un'astrazione funzionale allo studio di elementi chiave di un determinato tipo e genere testuale. Tuttavia è bene tenere sempre presente che i testi si costituiscono di forme miste che sono il risultato di mescolanze di generi e spesso anche di tipi. Obiettivo di un testo autentico è infatti non quello di appartenere ad un tipo testuale ma quello di asservire nel modo migliore ad un compito comunicativo; in quest'ottica risulterà chiaro che l'individuazione di una forma discorsiva dominante non deve lasciare il posto ad un'idea dei testi che mostra (e quindi richiede in fase produttiva) una lingua tutta coerente ed appartenente ora ad un genere testuale ora ad un altro, tralasciando le problematiche di mescolanza.

Alcune unità di "Giocare con la scrittura" si prefiggono proprio l'obiettivo di riflettere su questo aspetto e propongono lavori per individuare nella mescolanza i tratti tipologici predominanti e, al contrario, per trovare in testi appartenenti (sempre per dominanza) ad un genere, i tratti di altri tipi testuali funzionali a potenziare gli obiettivi comunicativi di quel testo.

Considerato inoltre che ai vari tipi testuali non possono essere assegnati specifici livelli di competenza nell'italiano, la progressione delle unità si basa sulla difficoltà degli elementi strategico-comunicativi analizzati nei testi appartenenti al genere considerato.

Le unità di "Giocare con la scrittura" sono dei percorsi tesi a fornire degli strumenti che, una volta assimilati, saranno fondamentali alla produzione scritta.

Le attività

"Giocare con la scrittura" dà piena centralità alla dimensione testuale di una lingua autentica e moderna.

Ogni unità si apre di regola con una **Lettura**, allo scopo di presentare un esempio del genere testuale trattato. Le modalità di presentazione di queste attività sono generalmente ludiche e sono strutturate in modo da suggerire all'insegnante l'instaurazione di un'atmosfera rilassata e priva di stress. Varie tecniche di rilassamento e motivazione sono utilizzate a questo scopo: dalle griglie alle domande, da attività di *strizzacervello* a giochi linguistici e logici.

Le **Analisi** vertono su aspetti strategico-comunicativi (successione degli eventi, connettivi, espressioni di tempo e luogo, uso dei modi e dei tempi verbali, lessico, ecc.). Sono inoltre proposte analisi su aspetti morfosintattici che vengono usati con grande frequenza proprio in un determinato genere testuale. Tutte le attività di analisi sono strutturate con l'obiettivo di far riflettere gli studenti sulle strategie comunicative più consone a quel genere testuale e non allo scopo di offrire modelli da copiare passivamente.

I risultati delle analisi condotte sui testi sono seguite da attività di **Produzione Guidata** nelle quali viene richiesta attenzione all'uso delle forme e non all'espressione di significati. Obiettivo di queste attività (cloze, riempimento, riorganizzazione di un testo, gioco, riscrittura, ecc.) è esercitare una regola e/o una competenza messa a fuoco attraverso un'analisi svolta precedentemente.

Passo conclusivo di ogni unità è l'attività di **Produzione Libera Scritta**, in cui l'attenzione dello studente è tutta dedita al tentativo di esprimere in italiano alcuni significati. Sono attività in cui il controllo da parte dell'insegnante dovrebbe essere ridotto al minimo. L'obiettivo unico è infatti quello di spingere al massimo l'interlingua dello studente, farlo sperimentare senza paura, presumendo che i lavori condotti in precedenza abbiano creato nuove competenze che lo studente desideri utilizzare perché adeguate al testo che sta scrivendo.
Sarebbe bene anche ridurre al minimo l'uso del dizionario e della grammatica, in quanto la continua consultazione rischia di rompere il flusso della scrittura e di far prevalere nello studente l'attenzione alle forme. Sarebbe quindi opportuno che lo studente vedesse il momento della scrittura solo come la prima fase dell'elaborazione del proprio scritto. Avrà tempo successivamente di rileggerlo e limarlo ponendo tutta la sua attenzione su come esprimere nel modo più efficace possibile quei significati che precedentemente aveva espresso di getto.

Alla produzione libera segue quindi una **Revisione tra Pari**. Questa attività si propone come alternativa alla correzione degli scritti da parte dell'insegnante. Questa infatti, anche se spesso richiesta dagli studenti, rischia di avere un effetto inibitorio sulle successive produzioni scritte. La tesi che qui portiamo avanti è che una politica di correzione come risposta ad una produzione scritta generi nello studente delle forme di difesa, di prudenza, che portano ad una tendenza a ripetersi, ad adoperare solo quelle forme linguistiche di cui è più sicuro. Ma se consideriamo la produzione scritta come un'attività didattica il cui ruolo è "provocare apprendimento" e non solo "dimostrare apprendimen-

Introduzione

to", sarà chiaro come lo studente abbia bisogno proprio del contrario: lasciarsi andare senza paura, sperimentare, cercare di produrre i modi più appropriati senza timore di sbagliare e sapendo che avrà tempo successivamente di migliorare la propria bozza con l'ausilio di un compagno che sarà disposto a discutere con lui.

La revisione permette ad ogni studente di riflettere ancora sul proprio scritto, aiutato da un compagno pari grado.

Il confronto tra pari è spesso proposto nel libro in quanto permette agli studenti di interrogarsi sulle questioni poste sul tavolo, e lo mette nella condizione di non accettarle passivamente, come avverrebbe in un confronto con l'insegnante.

Nella Revisione tra Pari ogni coppia dovrebbe lavorare per metà del tempo di durata dell'attività (circa 40 minuti) su un testo e per l'altra metà sul testo del compagno. La consegna è quella di "migliorare il testo" e non quello di "trovare gli errori"; questo con l'obiettivo di insegnare agli studenti a lavorare sul testo nella sua interezza, dal punto di vista morfosintattico ma anche logico, pragmatico, di coerenza testuale, ecc.

La coppia di studenti in questa attività può attingere a ogni tipo di ausilio utile a dare risposta ai propri dubbi: dal dizionario alla grammatica all'insegnante.

Aspetto ludico

Come già accennato, tutte le attività del libro propongono un approccio ludico allo studio. Dalle letture alle analisi alle produzioni guidate, ogni momento di studio è concepito in modo che lo studente sia sempre al centro del processo di apprendimento, in una condizione di attività e in sfida continua con le proprie competenze e conoscenze pregresse. In quasi tutte le unità sono presenti dei veri e propri giochi, di coppia, di classe, a squadre, linguistici, cruciverba e altri. Tuttavia è difficile distinguere le attività di studio dai giochi propriamente detti; infatti obiettivo dei giochi stessi è sì quello di creare o aumentare la motivazione allo studio, ma ciò che principalmente si propongono è di sperimentare la lingua, di esercitarla, di scoprirla, proprio come quelle che potremmo riconoscere più chiaramente come "attività didattiche" vere e proprie.

Questo approccio è particolarmente indicato quando si parla di scrittura, un'attività spesso considerata (e a ragione) estremamente faticosa per gli studenti.

Come trattare gli errori

È utile ricordare qui che il libro è concepito tenendo presente che gli errori prodotti dagli studenti rappresentano un momento essenziale e positivo sulla strada dell'apprendimento linguistico, della costruzione della propria interlingua. L'attività di Revisione tra Pari, descritta in precedenza, si inserisce pienamente in quest'ottica, ma tutte le attività di "Giocare con la Scrittura" hanno come obiettivo primario quello di far riflettere lo studente sulla lingua allo scopo di provocare un apprendimento proprio e interiorizzato. In questo senso acquisisce grande importanza il coinvolgimento degli studenti in un'atmosfera collaborativa in cui lo scambio di informazioni, la loro problematizzazione, la discussione (e la messa in discussione) tra pari, rappresentino uno dei momenti più proficui all'apprendimento.

La paura che gli insegnanti potrebbero avere che gli studenti copino da altri, viene a cadere se il concetto di "copiare" viene sostituito da quello di "scambiare informazioni". In questo modo ogni studente diviene responsabile di cosa e di come accetta le indicazioni e i suggerimenti dei compagni.

Come usare il libro

Lo scritto è un'attività che ha bisogno di tempo. Per questo motivo il più delle volte gli insegnanti danno consegna ai propri studenti di scrivere a casa, per non togliere momenti utili alle attività che necessariamente hanno bisogno di essere svolte in classe.

L'attività di scrittura inoltre quasi sempre è solitaria e poco motivante.

Si cercherà qui di individuare brevemente qualche aspetto che convinca gli insegnanti che adottano questo libro a far svolgere le attività di scrittura in classe, durante il tempo della lezione.

Benché l'insegnante sia qui invitato a non correggere gli scritti dei propri studenti, ciò non toglie che egli sia il più delle volte il destinatario delle composizioni degli studenti. L'insegnante quindi è il lettore di ciò che lo studente esprime e va da sé che quanto più l'insegnante dà prova di interessarsi al contenuto degli scritti tanto più gli studenti si sforzeranno di avere delle cose interessanti da dire. E tanto più gli scritti saranno sostanziosi e lunghi.

Non c'è dubbio che le composizioni siano per l'insegnante anche documenti estremamente validi al fine di comprendere il livello globale di competenze raggiunto da ogni singolo studente. Gli scritti, che siano a scopo di verifica, di valutazione o anche solo di esercitazione, risultano fondamentali per programmare o aggiustare la programmazione, tornare su certi argomenti o toccarne di nuovi.

È ovvio quindi che l'insegnante debba conoscere le condizioni nelle quali quello scritto è stato prodotto, quanto tempo gli sia stato dedicato, quanto sia stato approfondito il lavoro di *editing*, chi vi abbia partecipato, ecc. E questo può essere fatto solo se le produzioni scritte sono svolte in classe.

Altro aspetto di cui tener conto è la motivazione: è un fatto che non tutti scrivono con piacere. Sta quindi all'insegnante creare le condizioni ambientali affinché la scrittura abbia per lo meno un tempo e uno spazio a disposizione. Sembrano considerazioni ovvie, ma appare altrettanto ovvio che l'insegnante non può fare nulla per agire nei confronti di requisiti ambientali minimi quando ad uno studente è richiesto di scrivere a casa. Soprattutto nel caso di stranieri in Italia (e il problema raggiunge livelli che non possono non essere presi in considerazione quando si parla di immigrati), non si può sapere quali siano le condizioni in cui si trova ogni studente nella propria casa quando deve ritagliarsi una mezz'ora o un'ora di concentrazione per scrivere.

Scrivere nell'orario di lezione quindi, oltre a risultare maggiormente indicativo per l'insegnante al fine di esprimere una valutazione più significativa, rappresenta una scelta assai più democratica, che dà a tutti gli studenti la possibilità di esprimersi nelle stesse condizioni ambientali e con i medesimi strumenti.

L'autore

Presentazioni

livello 1

1 *Quante cose sai della tua classe? Scrivi i nomi dei tuoi compagni nella prima colonna, poi completa la tabella. Per le informazioni che non hai... usa la fantasia.*

nome	età	professione	luogo di nascita	città di residenza

2 *Gira per la classe e chiedi ai tuoi compagni se le informazioni sono giuste. Usa queste domande.*

Quanti anni hai?	**Dove sei nato/a?**
Che lavoro fai?	**Dove vivi?**

3 *Leggi questa presentazione.*

	Carlo, 25 anni, ingegnere, nato a Roma, residente a Firenze.
1	Mi piace il teatro e il cinema ma la mia vera passione nascosta è la musica classica. Spesso vado con i miei amici al cinema o a mangiare una pizza e quando resto a casa amo leggere un libro o ascoltare a tutto volume uno dei miei dischi. Il compositore che preferisco è L.
4	V. Beethoven. Amo anche lo sport: soprattutto il calcio e lo sci.

4 *Sottolinea nel testo della presentazione tutti i verbi coniugati al presente indicativo, poi inseriscili nella tabella qui sotto, come nell'esempio.*

verbo	persona	infinito del verbo
piace	*3ª persona singolare*	*piacere*

• *Guarda la costruzione del verbo* **piacere** *alla riga 1 del testo. Trova il soggetto, inseriscilo nella tabella e verifica se è uguale alla costruzione del verbo corrispondente nella tua lingua. Discutine con un compagno.*

verbo	soggetto	persona	infinito del verbo
piace	_ _ _ _ _ _ _ _	*3ª persona singolare*	*piacere*

Presentazioni

5 *Ora scrivi una tua breve presentazione. Ma non parlare del tuo lavoro, della tua età e della tua provenienza.*

6 *Gioco. Chi lo ha scritto? (Le istruzioni per l'insegnante sono a pagina 114)*

numero descrizione	nome

numero descrizione	nome

Cartolina

livello 1

1 Leggi le due cartoline spedite da Roma.

Roma, Il Colosseo

Roma

Roma 5-12-2002

Ciao nonna.
Finalmente sono **a Roma**.
È ancora più bella di quello che mi aspettavo. **Oggi** ho visto il Colosseo e il Circo Massimo. È grandissimo!
Domani è **domenica** e zio Mario mi porta **allo stadio** a vedere la Roma.
Spero di vedere una bella partita.
Un grande bacio dalla più bella città del mondo.
A presto.

Francesco

Silvana Zago

Via dei gerani, 32

Mestre

Venezia

Roma, Il Colosseo

Roma

Roma 5-12-2002

Cara Luisa,
sono arrivata **a Roma ieri**.
Il tempo è bellissimo e non fa nemmeno molto freddo. Roma è **sempre** bella, è un piacere tornare **qui**, anche se **per poco tempo**. **Domani** ho il concorso (speriamo bene) e **sabato** torno **a Madrid**. Il lavoro mi aspetta.
Spero che **prima o poi** riusciremo a vederci, **da qualche parte**, **in Italia** o **nel mondo**.
Un bacio

Letizia

Luisa Ferrari

Tödistrasse, 67

8039 - Zurigo

Svizzera

2 Nelle due cartoline sono evidenziate espressioni di tempo e di luogo. Inseriscile nella tabella.

espressioni di tempo	espressioni di luogo
Finalmente	a Roma

Cartolina

3 *Fai il cruciverba.*

ORIZZONTALI →

1. Viene prima della domenica.
4. "Spero che prima o poi riusciremo a vederci, ... qualche parte".
7. Viene dopo il sabato.
9. "Vivo .... Italia".
12. Avverbio di tempo che indica che "alla fine" hai raggiunto quello che volevi.

VERTICALI ↓

2 "Zio Mario mi porta .... stadio a vedere la Roma".
3. Prima di domani e dopo ieri.
4. Dopo oggi.
5. Prima di oggi.
6. In ogni momento.
8. .... c'è il Circo Massimo e lì c'è il Colosseo.
10. .... mondo ci sono tante belle città.
11. Rimango a Roma solo .... poco tempo.

4 *Ora inserisci nei due testi:*
  • *le parole che hai trovato nel cruciverba dell'attività 3 (una volta);*
  • *la preposizione semplice **a** (tutte le volte che è necessario).*

2

> ieri   nel
> finalmente
>   da
> qui   allo
> per   sabato
> in   sempre
> domenica
> oggi
>   domani

Ciao nonna.

_____ sono _____ Roma.
È ancora più bella di quello che mi aspettavo.

_____ ho visto il Colosseo e il Circo Massimo. È grandissimo!

_____ è domenica e zio Mario mi porta _____ stadio a

vedere la Roma. Spero di vedere una bella partita.
Un grande bacio dalla più bella città del mondo.

_____ presto.

Francesco

Cara Luisa,
sono arrivata _____ Roma _____ Il tempo è bellissimo e non fa nemmeno molto
freddo. Roma è _____ bella, è un piacere tornare _____ anche se
_____ poco tempo. _____ ho il concorso (speriamo bene) e _____ torno
_____ Madrid. Il lavoro mi aspetta.
Spero che prima o poi riusciremo a vederci, _____ qualche parte _____ Italia o
_____ mondo.
Un bacio

Letizia

5 *Ora prova tu a scrivere una cartolina. Prima di cominciare completa la scheda.*

A chi scrivi?	
Da dove scrivi?	
Quando sei arrivato/a?	
Quando parti?	
Cosa hai visto?	
Cosa vuoi vedere?	
Cosa hai fatto?	
Cosa vuoi fare?	

6 *Tieni presente quello che hai scritto nella tabella dell'esercizio 5 e scrivi la tua cartolina.*

Riproduzione vietata ©

7 *Riguarda il testo che hai scritto e cerca di migliorarlo. Controlla:*

- Hai utilizzato espressioni di tempo e di luogo? (Riguarda l'attività 2)
- Hai utilizzato le preposizioni nel modo corretto? (Aiutati con l'attività 4)

Lavora da solo e poi fatti aiutare da un compagno. Alla fine, quando sei soddisfatto, ricopia la cartolina in bella copia.

La stanza di...

livello 1

1 *Leggi la descrizione della stanza di Alex.*

> 1   La mia stanza è piccola ma comoda. Almeno per me. Ha solo una finestrella in alto, così, anche di giorno, devo stare con le luci accese. Per rimediare ho comprato delle bellissime lampade anni '70. Sulla parete davanti all'entrata c'è un grande poster di L. V. Beethoven e al centro della stanza, attaccato alla parete che si trova alla sinistra di Beethoven, c'è il
> 5   mio letto. È un letto matrimoniale di legno che occupa quasi tutta la larghezza della stanza. Accanto al letto c'è da una parte il mio armadio e dall'altra il comodino. Davanti al letto c'è un mobile basso, dove tengo i miei amati dischi e il mio stereo.

2 *Trova nel testo il nome degli oggetti disegnati qui sotto. Confronta le tue ipotesi con un compagno e poi disegna la stanza di Alex. Devi usare tutti gli oggetti disegnati qui sotto e, se vuoi, altri contenuti nella descrizione.*

La stanza di Alex

1 _____

2 _____

3 _____

4 _____

5 _____

La stanza di...

3 *Ora guarda la foto di Alex nella sua stanza e controlla la disposizione degli oggetti.*

4 *Dove sta Alex? Trova le espressioni giuste nel testo dell'attività 1.*

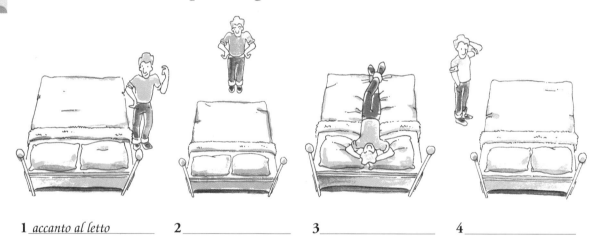

1 _accanto al letto_   **2** _____   **3** _____   **4** _____

5 *Completa il testo con le espressioni appropriate. Devi:*
- *scegliere l'espressione corretta, tra quelle elencate qui sotto;*
- *trasformare la preposizione da semplice ad articolata, quando è necessario.*

> **alla sinistra di   accanto a   davanti a   al centro di   davanti a**

La mia stanza è piccola ma comoda. Almeno per me. Ha solo una finestrella in alto, così, anche di giorno, devo stare con le luci accese. Per rimediare ho comprato delle bellissime lampade anni '70. Sulla parete _____ entrata c'è un grande poster di L. V. Beethoven e _____ stanza, attaccato alla parete che si trova _____ Beethoven, c'è il mio letto. È un letto matrimoniale di legno che occupa quasi tutta la larghezza della stanza. _____ letto c'è da una parte il mio armadio e dall'altra il comodino. _____ letto c'è un mobile basso, dove tengo i miei amati dischi e il mio stereo.

La stanza di...

6 *Disegna la tua stanza e scrivi la sua descrizione.*

La stanza di _____

Descrizione

7 *Riguarda il testo che hai scritto e cerca di migliorarlo. Controlla:*

- Le posizioni degli oggetti sono giuste?
- Le preposizioni per indicare le posizioni degli oggetti sono corrette? (Riguarda le attività 4 e 5)
- Nella descrizione c'è tutto quello che si trova nel disegno?

Lavora da solo e poi fatti aiutare da un compagno. Alla fine, quando sei soddisfatto, ricopia la descrizione in bella copia.

Slogan

livello 1

1 *Leggi questa frase. È lo slogan di una campagna pubblicitaria. Prova a capire che significa, aiutandoti con i compagni e con il dizionario.*

> ## Rispetta chi non la pensa come te

2 *Ora guarda il manifesto e discuti con un compagno sul suo significato. Per capirlo bene aiutati con il dizionario.*

4

Slogan

3 *Rimetti nel giusto ordine i paragrafi del testo scritto sotto i manifesti di questa campagna di "Pubblicità Progresso".*

	Perché i problemi sono di tutti.
	Il riscatto a livello individuale e sociale sta nel dialogo perché è proprio nel dialogo (cioè nel rispetto) che molte delle contraddizioni private e pubbliche possono più facilmente sciogliersi.
	Come le precedenti anche questa non è a favore di prodotti, ma delle idee, delle persone, dell'ambiente. Il suo obbiettivo è la presa di coscienza collettiva.
1	*Questa è una campagna di Pubblicità Progresso.*
	Come sono problemi di tutti quelli che nascono dall'intolleranza, dall'arbitrio, dalla violenza.

4 *Nel testo (nella prossima pagina) ci sono alcune espressioni evidenziate. Copiale vicino al corrispondente significato, nella tabella.*

comprensione generale, di tutti	
per aiutare	
finire, annullarsi	
prepotenza, arroganza	
fatte in passato, prima di questa	
liberazione, rivincita	

Questa è una campagna di Pubblicità
Progresso.
Come le <u>precedenti</u> anche questa non è
<u>a favore di</u> prodotti, ma delle idee, delle
persone, dell'ambiente. Il suo obbiettivo
è la <u>presa di coscienza collettiva</u>. Perché i problemi sono di tutti.
Come sono problemi di tutti quelli che nascono dall'intolleranza,
dall'<u>arbitrio</u>, dalla violenza. Il <u>riscatto</u> a livello individuale e
sociale sta nel dialogo perché è proprio nel dialogo (cioè nel rispetto)
che molte delle contraddizioni private e pubbliche possono più
facilmente <u>sciogliersi</u>.

5 Prova ad indicare su quale disegno potrebbe essere la scritta riportata qui sotto.
Discutine con un compagno.

Hai tenuto la bocca
troppo aperta.
Ti si sono chiuse
le orecchie.

①   ②   ③

Slogan

6 *Nell'attività 5 la scritta si riferiva al disegno numero 3. Ora prova tu a completare le altre due "Pubblicità Progresso" con scritte adeguate sopra i disegni.*

7 *Riguarda gli slogan che hai scritto e cerca di migliorarli. Controlla:*

• Sono abbastanza forti?

• Vanno bene con il disegno?

• Sono abbastanza brevi?

Lavora da solo e poi fatti aiutare da un compagno. Alla fine, quando sei soddisfatto, ricopia gli slogan in bella copia.

8 *Qui sotto c'è il manifesto di un'altra "Pubblicità Progresso". Scrivi un testo per completarla.*

@ **Se vuoi vedere altre campagne di Pubblicità Progresso vai al sito internet:**
http://www.pubbliprogresso.it

Slogan

9 *Ora guarda le immagini complete della campagna sull'ascolto promossa da Pubblicità Progresso.*

La strada per...

1 *Sei arrivato all'Aeroporto Leonardo Da Vinci di Roma - Fiumicino. Vuoi andare a visitare Palazzo Corsini, un meraviglioso esempio di architettura del XVIII secolo. Conosci l'indirizzo (Via della Lungara, 10) ma non sai come arrivarci. Prima di metterti in cammino leggi attentamente le indicazioni qui sotto.*

Come raggiungere Palazzo Corsini

Una volta scesi dall'aereo dirigetevi alla Stazione Ferroviaria. Fate il biglietto dal tabaccaio o ad un distributore automatico e prendete un treno per la Stazione Termini. Ne passa uno ogni ora. Arrivati alla Stazione Termini andate verso l'uscita principale e cercate il capolinea dell'autobus **H**.

La strada per...

• *Finalmente sei arrivato alla Stazione Termini. Il prossimo passo è prendere l'autobus H per andare verso Palazzo Corsini.*
Qui sotto c'è una parte della cartina di Roma.
Prendi una penna, segui le indicazioni riportate di seguito e segna sulla cartina il percorso da fare.

Prendete l'autobus **H**, nei pressi della Stazione, superate il Tevere e scendete dopo il Ponte Garibaldi (fermata Piazza Belli). Costeggiate il fiume in direzione nord fino ad una piazza che si chiama Piazza Trilussa e che è situata di fronte a Ponte Sisto. Uscite dalla piazza prendendo la seconda a sinistra. Proseguite dritti fino a trovare sulla vostra destra un arco. Questo è l'arco di Porta Settimiana. Passateci sotto e seguite Via della Lungara fino a Palazzo Corsini.

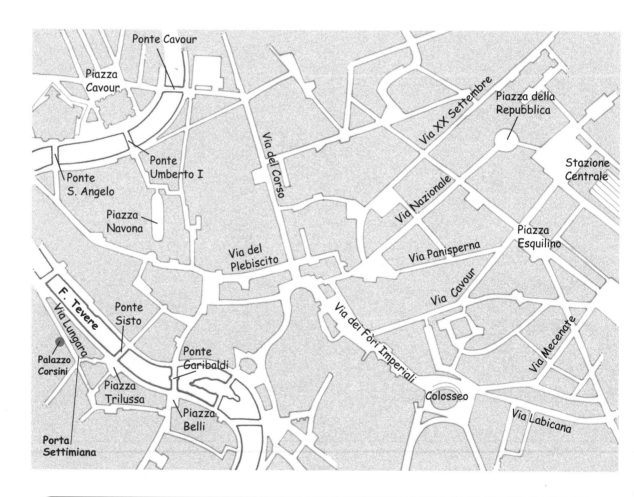

@ **Vuoi informazioni su Palazzo Corsini? Vai al sito dell'Accademia dei Lincei:**
http://www.lincei.it/CORSINI/PALAZZO.CORSINI.HTML

2 *Questo testo si rivolge ad un generico **voi**. Sottolinea tutte le forme verbali al plurale, come negli esempi evidenziati.*

1 Una volta <u>**scesi**</u> dall'aereo dirigetevi alla Stazione Ferroviaria. Fate il biglietto dal tabaccaio o ad un distributore automatico e <u>**prendete**</u> un treno per la Stazione Termini. Ne passa uno ogni ora. Arrivati alla Stazione Termini andate verso l'uscita principale e cercate il capolinea dell'autobus H. Prendete l'autobus H, superate il Tevere e scendete dopo il Ponte Garibaldi (fermata Piazza Belli).
5 Costeggiate il fiume in direzione nord fino ad una piazza che si chiama Piazza Trilussa e che è situata di fronte a Ponte Sisto. Uscite dalla piazza prendendo la seconda a sinistra. Proseguite dritti fino a trovare sulla vostra destra un arco. Questo è l'arco di Porta Settimiana. Passateci sotto e seguite Via della Lungara fino a Palazzo Corsini.

• *Ora copia nella tabella qui sotto tutti i verbi che hai sottolineato nell'attività. Poi rispondi alla domanda.*

imperativo plurale	participio passato

• *Guarda nel testo le frasi con i verbi al participio passato. Perché l'autore usa questa forma verbale? Cosa vuole indicare?*

La strada per...

3 *Guarda le preposizioni sottolineate e inseriscile nella tabella in base al significato che esprimono nel testo.*

Una volta scesi **dall'**aereo dirigetevi **alla** Stazione Ferroviaria. Fate il biglietto dal tabaccaio o ad un distributore automatico e prendete un treno **per** la Stazione Termini. Ne passa uno ogni ora. Arrivati **alla** Stazione Termini andate verso l'uscita principale e cercate il capolinea dell'autobus H. Prendete l'autobus H, superate il Tevere e scendete dopo il Ponte Garibaldi (fermata Piazza Belli). Costeggiate il fiume **in direzione** nord **fino ad** una piazza che si chiama Piazza Trilussa e che è situata di fronte a Ponte Sisto. Uscite **dalla** piazza prendendo la seconda a sinistra. Proseguite dritti **fino a** trovare sulla vostra destra un arco. Questo è l'arco di Porta Settimiana. Passateci sotto e seguite Via della Lungara **fino a** Palazzo Corsini.

→⊙	⊙	⊙→

4 *Inserisci le preposizioni mancanti nelle indicazioni per raggiungere il Delta del Po. Le preposizioni sono elencate qui sotto e possono essere ripetute.*

a	in direzione	in	per	dalla	fino a

COME RAGGIUNGERE IL DELTA DEL PO

• **DAL CENTRO-SUD ITALIA**: Giunti _____ Bologna, prendete la A13 _____ Padova ed uscite _____ Rovigo. Seguite le indicazioni _____ Adria e _____ il DELTA DEL PO.

• **DAL NORD ITALIA**: _____ A4 Milano Venezia, uscite _____ Verona e percorrete la *transpolesana* _____ Rovigo. Seguite le indicazioni _____ Adria e _____ il DELTA DEL PO.

• **DA VENEZIA** (Circa 50 Km.): percorrete la SS 309 *Romea* _____ Ravenna. Dopo l'Adige, troverete la prima località balneare del DELTA DEL PO: Rosolina Mare.

• **DA RAVENNA** (Circa 60 Km): percorrete la SS 309 *Romea* _____ Venezia.

La strada per...

5 *Sei a Roma da un po' di tempo e decidi di fare una festa. Hai una bella casa davanti alla Basilica S. Giovanni e Paolo. I tuoi amici si incontreranno alla Stazione Termini. Scrivi le indicazioni per arrivare al giusto indirizzo.*

6 *Riguarda il testo che hai scritto e cerca di migliorarlo. Controlla:*

• Sei stato chiaro?

• Hai scelto espressioni verbali che esprimano in modo abbastanza chiaro le indicazioni che volevi dare? (Riguarda l'attività 2)

• Le preposizioni sono appropriate? (Riguarda le attività 3 e 4)

• Le forme dei verbi sono corrette? (Riguarda l'attività 2)

Lavora da solo e poi fatti aiutare da un compagno. Alla fine, quando sei soddisfatto, ricopia le tue indicazioni stradali in bella copia.

Istruzioni per l'uso

livello 2

1 *Per cuocere bene la pasta si devono seguire alcune regole.*
Mettile nel giusto ordine.

N°	DIECI REGOLE D'ORO PER CUOCERE LA PASTA
	Quando l'acqua bolle aggiungi sale grosso marino nella misura di 10 grammi per ogni litro d'acqua.
1	Prendi una pentola larga e capiente.
	Cuoci la pasta a pentola scoperta e su fuoco vivace.
	Prima di versare la pasta, dopo aver aggiunto il sale, attendi che l'acqua torni a bollire nuovamente.
	Scola la pasta, aggiungi il condimento e buon appetito!
	Quando la pasta è al giusto punto di cottura versa un bicchiere di acqua fredda nella pentola per fermare la cottura.
	Immergi la pasta completamente nell'acqua e mescolala ogni tanto con un cucchiaio di legno.
	Dosa l'acqua nella proporzione di 1 litro per ogni 100 grammi di pasta.
	Metti l'acqua sul fuoco.
	Segui le indicazioni precedenti, i tempi di cottura della pasta sono quelli riportati in etichetta dal produttore.

2 *Ora leggi il testo in ordine e rispondi alle domande.*

DIECI REGOLE D'ORO PER CUOCERE LA PASTA

1. **Prendi** una pentola larga e capiente.
2. **Dosa** l'acqua nella proporzione di 1 litro per ogni 100 grammi di pasta.
3. **Metti** l'acqua sul fuoco.
4. Quando l'acqua bolle **aggiungi** sale grosso marino nella misura di 10 grammi per ogni litro d'acqua.
5. Prima di versare la pasta, dopo aver aggiunto il sale, **attendi** che l'acqua torni a bollire nuovamente.
6. **Immergi** la pasta completamente nell'acqua e mescolala ogni tanto con un cucchiaio di legno.
7. **Cuoci** la pasta a pentola scoperta e su fuoco vivace.
8. **Segui** le indicazioni precedenti, i tempi di cottura della pasta sono quelli riportati in etichetta dal produttore.
9. Quando la pasta è al giusto punto di cottura **versa** un bicchiere di acqua fredda nella pentola per fermare la cottura.
10. **Scola** la pasta, **aggiungi** il condimento e buon appetito!

(estratto da: www.arcigolafirenze.it)

• *Rispondi alle domande.*

1. Se vuoi cuocere 350 grammi di pasta quanta acqua devi usare?	
2. Sempre per 350 grammi di pasta quanto sale devi aggiungere?	
3. Cosa devi fare dopo aver aggiunto il sale?	
4. Quanto deve cuocere la pasta?	

5. Qual è il modo dei verbi evidenziati?	

Istruzioni per l'uso

3 *Questi consigli sono per una sola persona. Riscrivili al plurale, seguendo l'esempio.*

DIECI REGOLE D'ORO PER CUOCERE LA PASTA

1. Prendi una pentola larga e capiente.	1. *Prendete una pentola larga e capiente.*
2. Dosa l'acqua nella proporzione di 1 litro per ogni 100 grammi di pasta.	2.
3. Metti l'acqua sul fuoco.	3.
4. Quando l'acqua bolle aggiungi sale grosso marino nella misura di 10 grammi per ogni litro d'acqua.	4.
5. Prima di versare la pasta, dopo aver aggiunto il sale, attendi che l'acqua torni a bollire nuovamente.	5.
6. Immergi la pasta completamente nell'acqua e mescolala ogni tanto con un cucchiaio di legno.	6.
7. Cuoci la pasta a pentola scoperta e su fuoco vivace.	7.
8. Segui le indicazioni precedenti, i tempi di cottura della pasta sono quelli riportati in etichetta dal produttore.	8.
9. Quando la pasta è al giusto punto di cottura versa un bicchiere di acqua fredda nella pentola per fermare la cottura.	9.
10. Scola la pasta, aggiungi il condimento e buon appetito!	10.

4 *Guarda gli esempi e completa la regola sui differenti modi per dare istruzioni.*

Esempi	Per dare le istruzioni si può usare
1. Prendi una pentola larga e capiente	*l'imperativo singolare*
2. Prendete una pentola larga e capiente	*l'imperativo plurale*
3. Prendere una pentola larga e capiente	_____

Istruzioni per l'uso

5 *Sai fare il caffè all'italiana? Prova a scrivere le istruzioni guardando i disegni.*

1.

2.

3.

4.

5.

Istruzioni per l'uso

6 *Leggi le istruzioni. Sono molto differenti dalle tue?*

---

1 Versa l'acqua nella caldaia fino alla tacca contrassegnata all'interno.

---

2 Riempi il filtro di caffè macinato tipo Moka senza premerlo.

---

3 Avvita per bene la caffettiera senza far leva sul manico e prima di posizionare la macchinetta, con il coperchio alzato, su una fonte di calore piccola con la fiamma alta.

---

4 Dopo due o tre minuti vedrai che il caffè comincia ad uscire dalla macchinetta fino a che sentirai il caratteristico "sbuffo". A questo punto togli la macchinetta dal fuoco.

---

5 Gira il caffè con un cucchiaino e versalo subito nelle tazzine.

(estratto da: http://bialetti.it)

7 *Riguarda il testo che hai scritto e cerca di migliorarlo. Controlla:*

• Hai seguito il giusto ordine?

• Hai scelto i giusti tempi e modi verbali? (Riguarda l'attività 2)

• La forma dei verbi è corretta?

• Sei stato chiaro?

Lavora da solo e poi fatti aiutare da un compagno. Alla fine, quando sei soddisfatto, ricopia le istruzioni in bella copia.

 Se non sei soddisfatto e vuoi fare un caffè perfetto vai al sito internet:
http://www.caffeina.org/caffe/italiano/casamadre.htm

Chi è?

livello 2

1 *Qui sotto ci sono le descrizioni di quattro persone. Le loro foto sono nella prossima pagina, mischiate ad altre. Guarda le foto, leggi le descrizioni e scrivi a chi, secondo te, si riferiscono.*

1._____ è una ragazza giovane e carina. Ha i capelli lisci che fa ondeggiare davanti al viso. È sorridente e divertita. È una studentessa universitaria e si sta per laureare in Scienze Politiche. È di buona famiglia, anche se da quando ha cominciato l'Università ha deciso di diventare completamente indipendente. Per questo lavora in un pub come cameriera. Ama conoscere nuove persone ed è un'appassionata di karate. È una ragazza molto dinamica.

2._____ è un giovane dallo sguardo intenso. Ha un'immagine in stile "anni 30", con baffi e mosca. I capelli sono impomatati all'indietro. È anche elegante nel vestire, nella sua immagine nulla è lasciato al caso. Di giorno fa il meccanico nell'officina del padre, quindi la sera non vede l'ora di ripulirsi e andare in discoteca con gli amici. Piace molto alle ragazze, e non solo per la sua bellezza ma anche per la gentilezza e l'educazione. È sicuramente un ragazzo affascinante.

3._____ è un uomo dai capelli scuri che si veste in modo sportivo. Ha uno sguardo penetrante e profondo. È un creativo, un vero intellettuale. È un regista cinematografico e uno scrittore e spesso viene invitato in trasmissioni televisive a parlare di arte e politica. Della sua vita privata non ama parlare; fondamentalmente è un timido, ma sa anche essere di compagnia. È una presenza piacevole, che qualche volta mette un po' in soggezione. È una persona molto interessante.

4._____ è un ragazzo con i capelli molto corti e gli occhi scuri. Ha molti amici, anche se la maggior parte del tempo la passa davanti al computer. Il suo sogno è quello di creare un sistema operativo migliore e più economico di Windows. Non ama Bill Gates e non usa mai i prodotti Microsoft. Il suo idolo però non c'entra niente con i computer. È Valentino Rossi, il motociclista più famoso del mondo. Anche lui va in moto, ma solo a scuola. È un ragazzo estroverso e creativo.

Chi è?

Alessandro

Andrea

Antonio A.

Antonio B.

Clelia

Veronica

Cristina

Francesca

Jader

Paolo

Lucia

Cristian

Valentina

Stefano

Pier Paolo

Luciano

Chi è?

2 *Elenca le caratteristiche fisiche e psicologiche delle quattro persone descritte. Aiutati con le fotografie e con il testo dell'attività 1 ma aggiungi altre due caratteristiche fisiche che non sono presenti nella descrizione. Quando hai finito confronta i tuoi risultati con un compagno.*

	caratteristiche fisiche	caratteristiche psicologiche
Cristina		
Antonio B.		
Pier Paolo		
Cristian		

Chi è?

3 *Svolgi i quattro esercizi.*

a. Inserisci queste parole negli spazi. Non sono in ordine.

davanti	di	dinamica	divertita	in	per	quando	un'

Cristina è una ragazza giovane e carina. Ha i capelli lisci che fa ondeggiare _____ al viso. È sorridente e _____. È una studentessa universitaria e si sta _____ laureare in Scienze Politiche. È _____ buona famiglia, anche se da _____ ha cominciato l'Università ha deciso di diventare completamente indipendente. Per questo lavora _____ un pub come cameriera. Ama conoscere nuove persone ed è _____ appassionata di karate. È una ragazza molto _____.

b. Inserisci negli spazi i seguenti verbi coniugandoli al presente indicativo.
   Fai attenzione: uno è passivo. Sono in ordine.

essere	avere	essere	essere	lasciare	fare	vedere	piacere	essere

Antonio B. _____ un giovane dallo sguardo intenso. _____ un'immagine in stile "anni 30", con baffi e mosca. I capelli _____ impomatati all'indietro. _____ anche elegante nel vestire, nella sua immagine nulla _____ al caso. Di giorno _____ il meccanico nell'officina del padre, quindi la sera non _____ l'ora di ripulirsi e andare in discoteca con gli amici. _____ molto alle ragazze, e non solo per la sua bellezza ma anche per la gentilezza e l'educazione. _____ sicuramente un ragazzo affascinante.

c. Inserisci negli spazi i seguenti aggettivi concordandoli con i sostantivi. Sono in ordine.

scuro	sportivo	penetrante	profondo	vero	televisivo	privato	piacevole	interessante

Pier Paolo è un uomo dai capelli _____ che si veste in modo _____. Ha uno sguardo _____ e _____. È un creativo, un _____ intellettuale. È un regista cinematografico e uno scrittore e spesso viene invitato in trasmissioni _____ a parlare di arte e politica. Della sua vita _____ non ama parlare; fondamentalmente è un timido, ma sa anche essere di compagnia. È una presenza _____, che qualche volta mette un po' in soggezione. È una persona molto _____.

d. Inserisci gli articoli (determinativi o indeterminativi) negli spazi.

Cristian è un ragazzo con _____ capelli molto corti e _____ occhi scuri. Ha molti amici, anche se _____ maggior parte del tempo la passa davanti al computer. _____ suo sogno è quello di creare _____ sistema operativo migliore e più economico di Windows. Non ama Bill Gates e non usa mai _____ prodotti Microsoft. _____ suo idolo però non c'entra niente con _____ computer. È Valentino Rossi, _____ motociclista più famoso del mondo. Anche lui va in moto, ma solo a scuola. È _____ ragazzo estroverso e creativo.

4 *Ora scegli un'altra persona tra quelle di pag. 36 e scrivi la sua descrizione a partire dalla foto. La descrizione deve essere compresa tra le 70 e le 90 parole. Non scrivere il nome di chi descrivi.*

5 *Gioco. Chi è? (Le istruzioni sono a pagina 114)*

Trama di un film
livello 2

1 *Qui sotto c'è la trama del film "Il postino". Il protagonista del film è Massimo Troisi, ma il regista è un altro. Ricostruisci la giusta sequenza della trama e trascrivi le lettere nel giusto ordine per scoprire il suo nome (le istruzioni per l'insegnante sono a pag. 114).*

D	Neruda parla a Mario anche della sua passione per l'ideale comunista senza però mai riuscire ad interessare veramente il postino a questo argomento.
R	Durante il suo esilio in un'isola italiana del Mediterraneo, il grande poeta cileno Pablo Neruda incontra Mario, figlio di pescatori e postino dell'isola.
D	Decide allora di compiere un gesto poetico che possa riportare nella memoria del poeta lontano le voci, i rumori e la magica atmosfera dell'isola…
O	Un giorno arriva una lettera dal Cile scritta dalla segretaria del poeta, con l'indirizzo a cui spedire le cose rimaste.
F	Quando Neruda parte, per Mario riprende la vita quotidiana. A volte, per colmare il vuoto, ritorna nella casa del poeta dove sono rimasti dei suoi oggetti.
A	Neruda fa conoscere al ragazzo la poesia, gli insegna ad amarla, e Mario impara perfino a crearla, anche ispirato dalla bellezza della bella Beatrice.
R	Mario ha la netta sensazione che Neruda si sia dimenticato di lui.

Il regista de "Il postino" è   Michael   … … … … … R̈ …

2 Leggi la trama dei tre film. Prova ad abbinare ad ogni trama uno dei tre titoli tra quelli proposti in fondo alla pagina.

1 ❑ **Titolo:** ....

> 1 | Antonia e Massimo sono sposati da più di dieci anni, vivono in una bella villetta nella periferia di Roma e sono una coppia felice. Massimo muore all'improvviso in un incidente stradale. Antonia sprofonda in un lutto totale, finché non scopre per caso che Massimo aveva, da sette anni, un'amante e che questa amante è in realtà un uomo, Michele. Tra i due c'è un confronto
> 5 | drammatico, ma anche un'attrazione: in fondo erano tutti e due legati allo stesso uomo. Antonia viene accolta nella casa di Michele, popolata da personaggi simpatici e stravaganti. Attraverso una serie di esperienze drammatiche e divertenti, tragiche e ironiche, Antonia e Michele finiranno per unirsi in una relazione sempre più intima…

2 ❑ **Titolo:** ....

> 1 | Durante una gita turistica in pullman Rosalba, una casalinga di Pescara, viene dimenticata dalla sua famiglia in un autogrill. Offesa, invece di aspettare che marito e figli vengano a riprenderla, decide di tornare a casa. Ma poi si ritrova su una vettura diretta a Venezia e decide di prendersi una "piccola vacanza", così scrive su una lettera che manda a casa. Mimmo, il marito, manda
> 5 | Costantino, un suo dipendente, a cercarla a Venezia, dove Rosalba ha iniziato una nuova vita. Ha trovato lavoro da un fioraio anarchico, vive a casa di Fernando, un cameriere molto romantico e stringe amicizia con Grazia, una simpatica massaggiatrice vicina di casa di Fernando. Quando Costantino, dopo varie peripezie, riuscirà a scovarla, rimarrà anche lui invischiato in qualcosa di imprevisto…

3 ❑ **Titolo:** ....

> 1 | Dante, giovane timidissimo, è l'autista di un pulmino con il quale accompagna ogni giorno a scuola un gruppo di ragazzi down. La vita di Dante viene sconvolta dall'incontro con Maria, bella, ricca, colta e misteriosa, che gli cade tra le braccia. Con sua grande sorpresa, Dante viene invitato dalla bella Maria a Palermo, in Sicilia, dove la ragazza vive insieme a un suo zio, un
> 5 | avvocato un po' maldestro. Nella villa c'è anche un boss della mafia, segregato volontariamente negli scantinati. È molto diverso da Dante anche se gli somiglia come una goccia d'acqua. Ben presto Dante si renderà conto dei reali motivi dell'invito di Maria…

A - Johnny Stecchino   **B - Pane e tulipani**   **C - Le fate ignoranti**

Trama di un film

3 *Guarda i tre testi e rispondi alle domande.*

1. Qual è il tempo di base per scrivere la trama di un film?

....

2. In tutte e tre le trame viene usato il futuro. Perché?

....

3. Nelle trame ci sono commenti dello scrittore? ❏ **SÌ** ❏ **NO**
   Perché?

....

4. Nelle trame viene rivelato il finale dei film? ❏ **SÌ** ❏ **NO**
   Perché?

....

4 *"L'ultimo bacio" è stato uno dei più grandi successi del cinema italiano degli ultimi anni. Completa il testo della trama del film con i verbi elencati qui sotto. Scegli il tempo che ti sembra più appropriato. Fai attenzione: uno è passivo. I verbi sono in ordine.*

1. essere	2. essere	3. stare	4. riuscire
5. sembrare	6. conoscere	7. incarnare	
8. sembrare	9. scoprire	10. mettere	

Carlo e Giulia [1]_____ una coppia di trentenni circondati da un gruppo variopinto di familiari ed amici in crisi: i genitori di lei che non [2]_____ più felici, una coppia di amici con figlioletto che [3]_____ per separarsi, un amico nostalgico del *reggae*, un altro che non [4]_____ a scordare la fidanzata che lo ha lasciato. Carlo e Giulia [5]_____ l'unica coppia felice della vicenda. Fino al giorno in cui Carlo [6]_____ una giovanissima ragazza che [7]_____ per lui quella spensieratezza che Giulia, incinta da tre mesi, [8]_____ non rappresentare più. Il tradimento, prima ancora di essere consumato, [9]_____ da Giulia che [10]_____ in discussione tutte le certezze che li avevano uniti…

Se vuoi trovare altre trame e informazioni sul cinema italiano vai ai siti internet:
http://www.artemotore.com/tramefilm.html
http://www.cinemaitalia.com - http://www.kataweb.it/cinema/index.jsp

Trama di un film

5 *Pensa a un film che conosci bene e scrivine la trama.*

Trama del film: _____

6 *Riguarda il testo che hai scritto e cerca di migliorarlo. Controlla:*

• Hai scelto i giusti tempi verbali? (Riguarda l'attività 3)

• Quanto è lungo il tuo testo? Una trama non dovrebbe essere più lunga di 130 parole. Ma meno di 80 potrebbero essere troppo poche.

• Hai evitato di fare commenti?

• Hai evitato di rivelare il finale?

• Sei stato chiaro?

Lavora da solo e poi fatti aiutare da un compagno. Alla fine, quando sei soddisfatto, ricopia la trama in bella copia.

Articolo di cronaca

livello 2

1 *Leggi questo articolo di cronaca.*

CRONACA

Furto alla casa di riposo

28 gennaio 2002

1   Non hanno trovato nulla di valore da rubare i ladri che nella notte tra mercoledì 23 e giovedì 24 gennaio sono penetrati negli uffici amministrativi della casa di riposo di
5   Monticello, se non un orologio del 1800. Per entrare nella struttura che ospita gli anziani, i malviventi hanno forzato un lucchetto che chiudeva un corridoio in via di ristrutturazione. Da qui sono passati negli uffici e
10 nello studio del direttore. Una volta dentro la stanza hanno aperto una cassaforte che però non custodiva nulla, se non pochi soldi, una moneta da una lira del 1950 e una banconota dello stesso valore. Anche i cassetti della scrivania e gli altri mobili non conte- 15 nevano nulla di valore. Prima di andarsene i "soliti ignoti" hanno preso una sveglia da tavolo raffigurante una donna del XIX secolo. "Era una sorta di simbolo per la casa di riposo - ha raccontato il direttore - perché 20 quella sveglia è stata nello stesso posto per 50 anni a segnare il trascorrere del tempo".

2 *Alla riga 1 c'è un verbo al passato prossimo (hanno trovato). Alla riga 8 c'è un verbo all'imperfetto (chiudeva). Sottolinea con due colori diversi tutti i verbi in questi due tempi e poi rispondi alle domande.*

a. Cosa vuole indicare l'autore dell'articolo quando usa il passato prossimo?

....

....

b. Cosa vuole indicare l'autore dell'articolo quando usa l'imperfetto?

....

....

Articolo di cronaca

3 *Negli articoli di cronaca i giornalisti devono sempre dare risposta a cinque domande fondamentali. Rileggi l'articolo e fallo anche tu.*

1. Chi è il protagonista della storia?	
2. Che cosa è successo?	
3. Dove è successo?	
4. Quando è successo?	
5. Perché è successo?	

4 *Inserisci nel testo i verbi elencati qui sotto coniugandoli al passato prossimo o all'imperfetto indicativo. I verbi sono in ordine.*

1. trovare	2. penetrare	3. forzare	4. chiudere	5. passare
6. aprire	7. custodire	8. contenere	9. prendere	
10. essere	11. raccontare	12. stare		

Non [1]_____ nulla di valore da rubare i ladri che nella notte tra mercoledì 23 e giovedì 24 gennaio [2]_____ negli uffici amministrativi della casa di riposo di Monticello, se non un orologio del 1800. Per entrare nella struttura che ospita gli anziani, i malviventi [3]_____ un lucchetto che [4]_____ un corridoio in via di ristrutturazione. Da qui [5]_____ negli uffici e nello studio del direttore. Una volta dentro la stanza [6]_____ una cassaforte che però non [7]_____ nulla, se non pochi soldi, una moneta da una lira del 1950 e una banconota dello stesso valore. Anche i cassetti della scrivania e gli altri mobili non [8]_____ nulla di valore. Prima di andarsene i "soliti ignoti" [9]_____ una sveglia da tavolo raffigurante una donna del XIX secolo. "[10]_____ una sorta di simbolo per la casa di riposo - [11]_____ il direttore - perché quella sveglia [12]_____ nello stesso posto per 50 anni a segnare il trascorrere del tempo".

Articolo di cronaca

5 *Ora tocca a te scrivere un articolo di cronaca. Hai il titolo e un'immagine.*

Cade nel fiume a causa di un colpo di sonno.
Lo salva una famiglia di contadini

_____

_____

_____

_____

_____

_____

6 *Riguarda il testo che hai scritto e cerca di migliorarlo. Controlla:*

• Hai risposto con chiarezza alle cinque domande fondamentali di un articolo di cronaca?

• Hai scelto i giusti tempi verbali? (Riguarda l'attività 2)

• La forma dei verbi è corretta?

• Il titolo è adeguato all'articolo?

Lavora da solo e poi fatti aiutare da un compagno. Alla fine, quando sei soddisfatto, ricopia l'articolo in bella copia.

 Se vuoi leggere articoli di cronaca vai al sito internet dei quotidiani italiani:
http://www.ipse.com/quotit.html

Pubblicità

livello 2

1 *Cosa potrebbero pubblicizzare queste parole? Parlane con un compagno, poi scrivete nello spazio qual è, secondo voi, il prodotto pubblicizzato.*

MONTAGNA

MARE

ARTE

SOLE

CUCINA

OSPITALITÀ

TERME

ISOLE

10

Pubblicità

2 *Il prodotto pubblicizzato è una regione italiana.*
Lavora insieme ad un compagno. Leggete il testo e decidete quale potrebbe essere tra quelle proposte qui sotto.

| Marche | Emilia Romagna | Sicilia | Lombardia |

La _____ ha così tanto da offrire tutto l'anno, che una foto non basta.
In _____ c'è il mare con le sue isole minori, c'è l'arte dietro ogni angolo, c'è la montagna con i suoi sport, ci sono i sapori della sua cucina, le terme, il sole. E soprattutto il calore di un popolo che ha cambiato molto in questi anni, lasciando intatto il senso dell'ospitalità. Ecco perché, a differenza di tanti posti turistici, la _____ non ha bisogno di attirarvi con i soliti trucchetti.

3 *Ora guarda e leggi la pubblicità.*

www.regione.sicilia.it

REGIONE SICILIANA
Assessorato Turismo

POR

Unione Europea

10

**Non è la ragazza che è troppo piccola.
È la Sicilia che è troppo grande.**

Vi assicuriamo che anche se questa ragazza fosse più in primo piano, non la notereste nemmeno. La Sicilia ha così tanto da offrire tutto l'anno, che una foto non basta. In Sicilia c'è il mare con le sue isole minori, c'è l'arte dietro ogni angolo, c'è la montagna con i suoi sport, ci sono i sapori della sua cucina, le terme, il sole. E soprattutto il calore di un popolo che ha cambiato molto in questi anni, lasciando intatto il senso dell'ospitalità. Ecco perché, a differenza di tanti posti turistici, la Sicilia non ha bisogno di attirarvi con i soliti trucchetti.

SICILIA
Tutto il resto è in ombra.

Pubblicità

4 *Completa lo schema qui sotto: scrivi quali sono le altre caratteristiche del prodotto pubblicizzato e a chi si rivolge la pubblicità. Poi rispondi alle domande.*

prodotto pubblicizzato	opinione	caratteristiche	slogan di questa pubblicità	a chi si rivolge questa pubblicità
Regione Sicilia	*La Sicilia è un luogo di vacanza molto bello.*	• *Mare* • • • • • • • •	*"Non è la ragazza che è troppo piccola. È la Sicilia che è troppo grande".*	

• **Nella pubblicità c'è un altro slogan: "Sicilia, tutto il resto è in ombra". Secondo te:**

  • A che serve? _____

  • Che significa? _____

  • È efficace? _____

5 *Lavora in gruppo. Dovete creare la pubblicità per un prodotto che conoscete abbastanza bene. Seguite i punti elencati qui sotto.*

• Prima di tutto scegliete il prodotto: _____
• Quali sono i destinatari della vostra pubblicità?
_____

• Qual è l'opinione che volete trasmettere?
_____

• Quali sono le caratteristiche da evidenziare nel vostro prodotto?
_____

• Cercate su una rivista una foto che possa illustrare il vostro prodotto.

• Ora scrivete il testo. Quando avete finito sintetizzatelo in uno slogan.

• Infine preparate un cartellone pubblicitario da attaccare sul muro della vostra classe.

10

6 *Scrivi un testo di circa 100 parole che convinca il lettore di una di queste opinioni improbabili.*

I periodi di pioggia sono i migliori per visitare una città.	**Le guerre risolvono i problemi del mondo.**
I cibi trattati con pesticidi sono da preferire a quelli biologici.	**Lo sport non fa bene alla salute.**
Senza la tecnologia la vita sarebbe migliore.	**L'intelligenza non conta poi tanto.**

7 *Riguarda il testo che hai scritto e cerca di migliorarlo. Controlla:*

• Il testo è abbastanza chiaro?

• Ci sono abbastanza caratteristiche che sostengono l'opinione che vuoi trasmettere?

• Hai creato uno slogan convincente?

Lavora da solo e poi fatti aiutare da un compagno. Alla fine, quando sei soddisfatto, ricopia il tuo testo in bella copia.

10

Statistiche

livello 3

1 *Leggi il testo e completa la tabella.*

Negli USA si diffonde il culto degli angeli

Un americano su due è convinto di averne uno

Il 60 per cento degli americani crede negli angeli. Il 46 per cento è sicuro di avere un proprio angelo custode. Esperienze mistiche sono riferite da due terzi di cittadini statunitensi. Lo sostiene Faith Popcorn, la più accreditata tra i guru del trend.

Sul rapporto tra gli americani e la fede, l'autrice di bestseller non ha dubbi: la religione è importante per il 90 per cento degli americani e il 72 per cento prega ogni giorno. L'industria editoriale cristiana fa affari, ogni anno, per tre miliardi di dollari. E su internet esistono più di 72 mila siti cristiani. Ci sarebbero, però, almeno 3 milioni di statunitensi che si rivolgono a pratiche alternative estranee alla tradizione occidentale, dallo yoga alle arti marziali.

(da "L'Espresso", ottobre 2002)

• *Prova a ricostruire la statistica di cui parla Faith Popcorn.*

	10%	20%	30%	40%	50%	60%	70%	80%	90%	100%
crede negli angeli						60%				
è sicuro di avere un proprio angelo custode										
ha avuto esperienze mistiche										
ritiene la religione importante										
prega ogni giorno										

2 *L'Istituto Nazionale di Statistica (ISTAT) ha fatto un'indagine dal titolo "Lingua italiana e dialetti in Italia", realizzata nel dicembre 2000 su un campione di circa 20mila famiglie, per un totale di circa 55mila individui. Analizza i dati insieme ad un compagno e scrivete un articolo che metta in risalto gli aspetti principali che secondo voi emergono dalle tabelle della prossima pagina.*

Figura 1. Persone di 6 anni e più. Qual è il linguaggio abitualmente usato in diversi contesti relazionali. Anni 1987/88, 1995 e 2000 *(valori percentuali)*

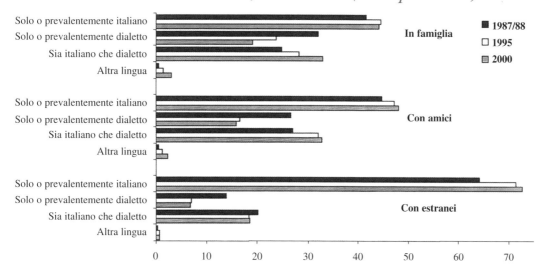

Figura 2. Persone di 6 anni e più. Qual è il linguaggio abitualmente usato in famiglia per classi di età. Anno 2000 *(valori percentuali)*

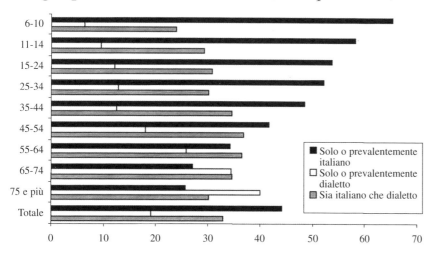

Figura 3. Persone di 15 anni e più. Qual è il linguaggio abitualmente usato in famiglia per titolo di studio. Anno 2000 *(valori percentuali)*

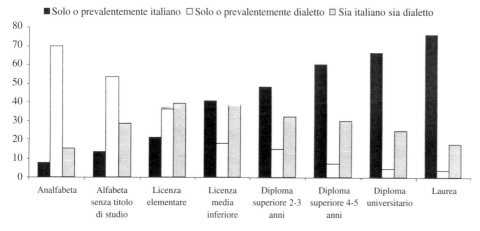

Statistiche

11

3 *Inserisci nel testo le preposizioni qui sotto elencate.*

alle	da	dallo	di	di	di	degli
degli	per	per	per	tra	tra	su

Negli USA si diffonde il culto degli angeli

Un americano su due è convinto di averne uno

Il 60 _____ cento _____ americani crede negli angeli. Il 46 per cento è sicuro _____ avere un proprio angelo custode. Esperienze mistiche sono riferite _____ due terzi di cittadini statunitensi. Lo sostiene Faith Popcorn, la più accreditata _____ i guru del trend. Sul rapporto _____ gli americani e la fede, l'autrice di bestseller non ha dubbi: la religione è importante _____ il 90 per cento _____ americani e il 72 _____ cento prega ogni giorno. L'industria editoriale cristiana fa affari, ogni anno, per tre miliardi di dollari. E _____ internet esistono più _____ 72 mila siti cristiani. Ci sarebbero, però, almeno 3 milioni _____ statunitensi che si rivolgono a pratiche alternative estranee alla tradizione occidentale, _____ yoga _____ arti marziali.

4 *Lavora insieme a due o tre studenti. Si tratta di fare una ricerca statistica (tra gli studenti della vostra scuola o tra chi volete voi).*
Decidete insieme cosa volete sapere (l'obiettivo della ricerca) e preparate una lista di domande da fare per avere dei dati il più possibile completi. Decidete anche se fare delle interviste o distribuire dei questionari.
Alla fine, quando avete completato la ricerca, create una o più tabelle e scrivete una sintesi sui risultati ottenuti per produrre un cartellone da attaccare al muro.

Che testo è?

livello 3

1 *Leggi la successione degli eventi di questo fatto di cronaca successo in provincia di Bergamo.*

Ieri -	Un uomo ruba ad Ardesio una Fiat Uno nera.
Stamattina, ore 9.30 -	L'uomo, che è disarmato e indossa un passamontagna e un paio di guanti, entra nella banca "Credito Bergamasco" di via San Rocco a Vertova. Nella banca c'è solo una cliente. L'uomo urla "datemi i soldi!", aggira il bancone, apre la cassa e prende 50 mila euro. Esce dalla banca, sale sulla Fiat Uno nera e fugge.
Adesso -	I carabinieri conducono indagini e stanno cercando l'uomo anche con posti di blocco nella zona.

2 *Rispondi alle domande.*

Da quale evento cominceresti a scrivere se:

• devi scrivere un articolo di cronaca?

• devi scrivere un racconto?

• sei la cliente della banca e scrivi una lettera a tua madre per raccontare il fatto?

• sei il bancario e devi scrivere una testimonianza dei fatti?

Ora confronta le tue risposte con quelle di un compagno e discutete sull'opportunità delle vostre scelte.

Che testo è?

3 *Inserisci nelle colonne cosa potresti aggiungere alla cronologia dei fatti (eventualmente inventando o immaginando) a seconda del tipo di testo che devi scrivere. Puoi usare i suggerimenti qui sotto o anche aggiungere altri elementi.*

Le tue reazioni psicologiche

Altri dettagli sui fatti

Il tuo giudizio morale sul ladro

Le caratteristiche fisiche dell'uomo

Nome e cognome dell'uomo

Niente

Le caratteristiche psicologiche dell'uomo

Le motivazioni del furto

articolo di cronaca	racconto	lettera	testimonianza

4 *Confronta il tuo lavoro con un compagno. Poi scegliete uno dei quattro tipi di testo e scrivete.*

5 *Rimetti nel giusto ordine le parti dell'articolo, apparso su "L'eco di Bergamo".*

Colpo al Credito Bergamasco di Vertova rubati 50 mila euro in contanti

L'uomo, che era disarmato e indossava un passamontagna, ha aperto da solo la cassa prelevando 50mila euro in contanti. È poi fuggito con un'auto rubata

☐ Nel locale era presente una sola cliente.

☐ Il bandito è poi uscito dalla banca fuggendo con una Fiat Uno di colore nero, rubata ieri ad Ardesio.

☐ dopo aver aggirato il bancone, usando dei guanti per non lasciare impronte,

☐ L'uomo, che era disarmato e indossava un passamontagna, ha urlato «datemi i soldi»:

☐ I carabinieri di Fiorano si stanno occupando delle indagini e hanno organizzato posti di blocco nella zona, purtroppo senza esito.

☐ Bottino ingente - 50mila euro - per il malvivente che questa mattina alle 9.30 ha fatto irruzione al Credito Bergamasco di via San Rocco a Vertova.

☐ ha aperto da solo la cassa prelevando appunto 50mila euro in contanti.

Che testo è?

6 *Inserisci i verbi, coniugandoli come ritieni più opportuno, nella lettera che la cliente della banca ha scritto alla madre. I verbi sono in ordine.*

1. succedere	2. fare	3. entrare	4. rubare	5. prendersi
6. riprendersi	7. scrivere	8. stare	9. essere	10. entrare
11. essere	12. sentire	13. girarsi	14. sembrare	15. passare
16. scappare	17. sentirsi	18. accasciarsi	19. rimanere	20. venire
21. dire	22. essere	23. sapere	24. avere	25. stare

Cara mamma,

stamattina mi [1]_____ una cosa terribile. Proprio mentre [2]_____
un bonifico in banca [3]_____ un rapinatore e [4]_____ 50 mila euro.
[5]_____ uno spavento tremendo, e ancora adesso non [6]_____ del
tutto. Come ti [7]_____, [8]_____ allo sportello. [9]_____
anche contenta perché quando [10]_____ non ho visto nessuno ed infatti quando
tutto è successo [11]_____ l'unica cliente della banca. Improvvisamente
[12]_____ un uomo urlare: "datemi i soldi!". [13]_____ e ho visto
questo delinquente col passamontagna. [14]_____ un pazzo, [15]_____
dietro al bancone, ha aperto la cassa, ha preso i soldi e poi [16]_____.
Io [17]_____ morire. [18]_____ a terra e [19]_____ lì fino
all'arrivo della polizia.
Se ci penso mi [20]_____ ancora le lacrime. [21]_____ che non
[22]_____ nemmeno armato, ma io non lo [23]_____,
e comunque [24]_____ paura anche se l'avessi saputo.
Un bacio. Non stare in pensiero, [25]_____ bene.

Carla

7 *Ora scegli sul giornale un articolo di cronaca e trasformalo in un altro genere testuale a tua scelta.*

 Puoi trovare gli articoli anche sul sito internet:
http://www.ipse.com/quotit.html

Biografia

livello 3

1 *Leggi il testo e rispondi alle domande.*

Biografia di Ettore Scola

Ettore Scola è uno dei più importanti registi della storia del cinema italiano. Nasce a Trevico (Avellino) il 10 maggio 1931. Da giovane collabora con il giornale umoristico Marc'Aurelio. Dalla metà degli anni '50 comincia a scrivere sceneggiature, spesso insieme a Ruggero Maccari. A partire dagli anni '60 è coautore di copioni importanti, come *"Il sorpasso"* (1962) e *"I mostri"* (1963) di Dino Risi.

Nel 1964 debutta nella regia con il film a episodi *"Se permettete parliamo di donne"*, opera pensata per il più grande attore italiano del momento: Vittorio Gassman. Negli anni successivi firma titoli di grande successo quali *"Riusciranno i nostri eroi a ritrovare l'amico misteriosamente scomparso in Africa?"* (1968), *"Dramma della gelosia: tutti i particolari in cronaca"* (1969), *"Il commissario Pepe"* (1969), *"Permette? Rocco Papaleo"* (1971), lavorando con tutti i maggiori attori italiani, da Sordi a Manfredi, da Tognazzi a Mastroianni. Dopo l'atipico *"Trevico-Torino: viaggio nel Fiat-Nam"* (1972), torna alla commedia con *"C'eravamo tanto amati"* (1974). Nel 1977 firma il bellissimo *"Una giornata particolare"*. Successivamente ha diretto molti film tra i quali vanno ricordati *"Ballando, ballando"* (1983), *"La famiglia"* (1987) e *"Concorrenza sleale"* (2001) che, attualmente, è il suo ultimo film. Ed è proprio un film di Scola, *"La cena"* (1998), l'ultimo film interpretato da Vittorio Gassman.

2 *Rispondi alle domande.*

Qual è:
- l'articolo usato prima di una data precisa? (_____ 29 maggio 1966)
- l'articolo usato prima di un periodo di anni? (_____ anni '70)
- la preposizione usata prima di un anno preciso? (_____1966)
- il tempo verbale di maggior frequenza in questo testo? _____

- *La biografia di Ettore Scola è scritta in ordine cronologico. Sottolinea tutte le espressioni di tempo e copiale qui sotto.*

Biografia

3 *Chi è Lorenzo Cherubini? Leggi l'inizio della sua biografia e rispondi alla domanda.*

Lorenzo Cherubini è nato il 26 settembre del 1966 a Roma. La sua famiglia è originaria di Cortona, un piccolo e incantevole borgo in provincia di Arezzo dove Lorenzo trascorre lunghi periodi da bambino. All'età di 19 anni, con l'appoggio del suo scopritore Claudio Cecchetto, riesce ad entrare a Radio Deejey e a Deejey Television con il nome di Jovanotti. I suoi primi successi in discoteca sono "Gimme five" e "È qui la Festa?", l'album d'esordio è "Jovanotti For President". Con il successivo "La Mia Moto" arriva anche a San Remo '89, diventando il simbolo del disimpegno giovanile.

• Cosa fa Lorenzo Cherubini? _____

4 *Fai una prima lettura del seguito della biografia, poi svolgi il lavoro indicato nella prossima pagina.*

1   Una prima, timida svolta artistica si ha con "Giovani Jovanotti" (1990), il suo quarto album (dopo "Jovanotti Special" del 1989) che comprende brani un poco più meditati. L'insuccesso dell'album lo porta ad un inevitabile periodo di riflessione.
Dopo due anni di attesa arriva "Lorenzo 1992", che rimane in classifica per molte settimane.
5   Con il passare degli anni e delle canzoni, cambiano i testi e gli ideali di Jovanotti: "Lorenzo 1994" non è solo un album ma un modo di vedere la vita, siglato da brani che arrivano di corsa in vetta alle classifiche, come "Penso positivo", "Serenata rap" e "Piove". La scalata nelle hit parade non si limita all'Italia: ben presto "Serenata rap" diventa il video più trasmesso in Europa e in Sud America. Nello stesso anno si esibisce in una lunga tournée che lo vede impegnato sia in Italia che in Europa, prima da solo e poi insieme con Pino Daniele ed Eros Ramazzotti.
10   Nel 1995 esce la raccolta "Lorenzo 1990-1995" con due brani inediti tra cui "L'ombelico del mondo" con cui Lorenzo partecipa agli MTV music awards come miglior cantante europeo. Il 1997 è l'anno de "L'albero", album di grande successo che ci presenta un Jovanotti finalmente maturo. Lorenzo è ormai un artista a tutto tondo: dipinge, tanto da arrivare ad esporre le sue opere al Brescia Music Art, ed esordisce al cinema come attore nel film di D'Alatri "I Giardini
15   dell'Eden" .
Nel 1999 compone "Per te", una ninna nanna dedicata alla sua prima figlia, a cui fa seguito l'album "Capo Horn". Sempre nel giugno di quell'anno Lorenzo aveva già dato vita, con Ligabue e Piero Pelù, ad una canzone-manifesto, "Il mio nome è mai più", brano antimilitarista e pacifista. Il brano vince due premi come miglior video e miglior canzone dell'anno. Tutti i
20   proventi della vendita del CD verranno devoluti all'associazione "Emergency".
L'impegno di Lorenzo è poi proseguito nel tempo con altre iniziative a sfondo sociale. Memorabile, fra le ultime, la sua esibizione al festival di Sanremo 2000 con il brano inedito "Cancella il debito", un pezzo che ha consentito a molti giovani di venire a conoscenza del
25   drammatico problema dei debiti gravanti sui paesi del terzo mondo.
Dopo un doppio album dal vivo, Lorenzo torna in studio e pubblica, nel 2002, "Il quinto mondo", titolo di uno dei brani incluso soltanto alla fine nella scaletta definitiva.

• *Nella seconda parte della biografia di Lorenzo Cherubini, in arte Jovanotti, mancano quattro eventi. Trova dove inserirli nel testo nel modo più appropriato.*

• "Lorenzo 1994" è accompagnato anche dal suo secondo libro: "Cherubini".

• Il suo terzo libro, diario degli ultimi viaggi, testimonia la ormai avvenuta maturazione di Lorenzo e si intitola "Il grande boh".

• Il '94 è un anno importante, grazie anche alla creazione dell'etichetta discografica "Soleluna".

• Di questo periodo è anche "Yo, brothers and sisters", la prima fatica "letteraria" del ragazzone più festaiolo d'Italia.

5 *Rileggi la biografia di Jovanotti e riempi la tabella.*

anno	fatti personali	canzoni	album	libri	tournée	film
1989	*DJ a Radio Deejey e a Deejey-TV*					
1990						
1992						
1994				*Cherubini*		
1995						
1997						
1999						
2000						
2002		*Il quinto mondo*				

Biografia

6 *Ora riscrivi la biografia di Jovanotti ordinandola, oltre che cronologicamente, anche in base ad aree di interesse. I titoli dei paragrafi sono già pronti.*
Attenzione: devi scrivere un massimo di 300 parole.

Biografia di Jovanotti

• **La musica, una grande passione.**

• **Oltre la musica: un artista completo.**

• **Jovanotti e l'impegno sociale.**

7 *Riguarda il testo che hai scritto e cerca di migliorarlo. Controlla:*

• Hai usato espressioni di tempo? (Riguarda l'attività 2)

• Hai evitato di fare commenti troppo espliciti?

• Hai rispettato il limite delle 300 parole?

Lavora da solo e poi fatti aiutare da un compagno. Alla fine, quando sei soddisfatto, ricopia la biografia di Jovanotti in bella copia.

13

8 *C'è stato un problema nella stampa della biografia di Stefano Accorsi. In ogni riga sono rimaste in bianco cinque lettere. Metti a posto il testo.*

Stefano Accorsi   a Bologna il 2 marzo 1971.
Termi   il liceo scientifico nel 1990, nel '91 rispond   ad un annuncio
pubblicato su   quotidiano dal regista Pupi Avati in cerca   ttori per un suo
film e, dopo pochi incontri,   scelto per "Fratelli e sorelle", girato negli Stati
Uniti,   quale vincerà l'Oscar dei giovani come miglior attore esordiente.
Nel 1993 finisce   studi alla Scuola di Teatro di Bologna. Diventa famoso   l
1995 per   spot pub icitario del gelato Maxibon girat con la regia di Daniele
Luchetti. L'anno successivo interpr   il ruolo di Alex, il protagonista   "Jack
Frusciante è uscito dal gruppo", film tratt   'omonimo libro di Enrico Brizzi,
manifesto della   generazione. Del 1997 è la partecip   ione al Festival di
Venezia con "Piccoli Maestri" d Daniele Luchetti. Il '98 è un anno r   di
impeg i: giunge anc   la   torietà con il pluripremiato "Radiofreccia" di Luciano
Ligabue.   2001 nelle sale Accorsi   present   con tre film di successo: "La
stanza del figlio" di Nanni Moretti, "Le fate ignoranti" di Ozpetec, ma soprat
è   "L'ultimo bacio" di Gabriele Muccino. Q   Accorsi interpreta u   personaggio
simbolo della sua generazione: quel Giulio   momento del matrimonio e
della paternità si rifugia   le braccia di una diciottenne col   dal desiderio di
una per   adolescenz .
Dopo altri film di successo di pubblico e di critica, la con   zione definitiva è
arriv   per Stefano Accorsi al   Mostra di Arte Cinematografica di Venezia del
2003, durante   quale è stato membr   della giur   internazionale.
È fidanzat   con Giovanna Mezzogiorno, su   compagna anche   film di
M   o.

Se cerchi altre biografie in internet vai al sito:
http://biografieonline.it/home.htm

13

Biografia

9 *Ora scrivi la tua biografia.*

Biografia di _____

LA MIA FOTO

Ricetta

livello 3

1 Conosci i nomi di questi ingredienti per cucinare? Scrivi i nomi italiani di quelli che conosci nella prima colonna. Scrivi quelli che non conosci nella seconda colonna nella tua lingua madre. Con l'aiuto di un compagno o del dizionario trova poi la parola italiana.

1.	1. ....
2.	2. ....
3.	3. ....
4.	4. ....
5.	5. ....
6.	6. ....
7. *menta*	7. ....
8.	8. ....
9.	9. ....
10.	10. ....
11.	11. ....
12.	12. ....
13.	13. ....
14.	14. ....
15. *prezzemolo*	15. ....

14

Ricetta

2 *Leggi la ricetta dei "carciofi alla romana".*

Carciofi alla romana

Pulite accuratamente otto carciofi togliendo le foglie esterne fino ad arrivare alle foglie più chiare. Tagliate anche le punte dure. Lasciate circa 6 centimetri di gambo unito ad ogni carciofo. Prima lavate i carciofi, quindi immergeteli uno per volta in una casseruola contenente acqua fredda e il succo di un limone spremuto, in modo che non diventino scuri.

Tritate finemente il prezzemolo, la menta e due spicchi d'aglio, poi unite il tutto al sale, al pepe e a mezzo bicchiere di olio.

Aprite bene i carciofi, batteteli su un piano e sistemateci dentro un po' del composto di prezzemolo.

Salate uniformemente i carciofi all'esterno, rigirandoli singolarmente sul palmo della mano sulla quale avrete messo il sale.

Sistemate i carciofi capovolti e molto vicini tra loro in un tegame a bordi alti. Versate l'olio fino a coprire metà carciofo e aggiungete acqua per ricoprirli completamente.

Lasciate cuocere i carciofi a fuoco dolcissimo e lentamente, fino alla completa evaporazione dell'acqua.

3 *Tutti i nove ingredienti di questa ricetta sono nella lista dell'attività 1. Rileggi la ricetta e scrivi i nomi degli ingredienti nella tabella qui sotto.*

Ingredienti per 4 persone

Otto carciofi	....	....
....	....	....
....	....	....

4 *Le parole sottolineate nel testo sono avverbi. Inseriscili nella giusta colonna della tabella facendo attenzione alle definizioni.*

Pulite <u>accuratamente</u> otto carciofi togliendo le foglie esterne fino ad arrivare alle foglie più chiare. Tagliate anche le punte dure. Lasciate circa 6 centimetri di gambo unito ad ogni carciofo. <u>Prima</u> lavate i carciofi, <u>quindi</u> immergeteli uno per volta in una casseruola contenente acqua fredda e il succo di un limone spremuto, in modo che non diventino scuri.

Tritate <u>finemente</u> il prezzemolo, la menta e due spicchi d'aglio, <u>poi</u> unite il tutto al sale, al pepe e a mezzo bicchiere di olio.

Aprite <u>bene</u> i carciofi, batteteli su un piano e sistemateci dentro un po' del composto di prezzemolo.

Salate <u>uniformemente</u> i carciofi all'esterno, rigirandoli <u>singolarmente</u> sul palmo della mano sulla quale avrete messo il sale.

Sistemate i carciofi capovolti e molto vicini tra loro in un tegame a bordi alti.

Versate l'olio fino a coprire metà carciofo e aggiungete acqua per ricoprirli <u>completamente</u>.

Lasciate cuocere i carciofi a fuoco dolcissimo e <u>lentamente</u>, fino alla completa evaporazione dell'acqua.

14

AVVERBI DI MODO esprimono il "come" deve essere svolta un'azione	AVVERBI DI TEMPO determinano il tempo di svolgimento di un'azione
accuratamente	

Ricetta

5 *Come puoi notare, molti degli avverbi di modo (detti anche "qualificativi") hanno l'ultima parte della parola uguale (-mente). Sono infatti parole derivate da altre parole. Studia la regola di formazione di questi avverbi e ricavali dalle parole scritte sotto.*

La maggior parte degli avverbi derivati si ottiene aggiungendo il suffisso **–mente** al femminile degli aggettivi. Se l'ultima sillaba dell'aggettivo però è **–le** o **–re** si deve eliminare la **e** finale.

aggettivo al maschile singolare	avverbio derivato
sicuro	
veloce	
stupido	
raro	
facile	
forte	
speciale	
povero	
nuovo	
intelligente	
razionale	
eterno	

 Se vuoi trovare altre ricette di piatti tipici italiani vai al sito internet:
http://www.ricetteonline.com

6 *Conosci un piatto tipico del tuo paese? Scrivine la ricetta.*

....

INGREDIENTI:

RICETTA:

14

7 *Riguarda il testo che hai scritto e cerca di migliorarlo. Controlla:*

- Hai scelto i giusti tempi verbali? Di solito si usa l'imperativo plurale come nel testo dell'attività 2.
- Hai seguito il giusto ordine delle istruzioni?
- Hai usato avverbi di modo per dare indicazioni più precise? (Riguarda le attività 4 e 5)

Lavora da solo e poi fatti aiutare da un compagno. Alla fine, quando sei soddisfatto, ricopia la ricetta in bella copia.

E-mail

livello 3

1 *Leggi questa lettera e rispondi alla domanda.*

finalmente ti scrivo

| Invia | Taglia | Copia | Incolla | Annulla | Controlla | Controllo or... | Allega | Priorità | Firma | Crittografia | Non in linea |

Da: carlo@almaedizioni.it (ALMA Edizioni)

A: barbaraf@hotmail.com

Oggetto: finalmente ti scrivo

Ciao Barbara,
è ormai un po' di tempo che non ti scrivo e mi dispiace, spero tu non sia arrabbiata con me ma lo sai che lavoro come un mulo... :-)
Ieri ho visto Stefano e Sonia e abbiamo ricordato quel pazzo viaggio che abbiamo fatto a Torino nel 1988 per andare a vedere il concerto di Amnesty International con Sting, Springsteen e Peter Gabriel. Ci siamo fatti un sacco di risate, soprattutto quando Stefano ha ricordato quando Claudio Baglioni, la "star" italiana, cantava "Voglio andar via" e tutto il pubblico, lui compreso, gli gridava "e allora vattene!".
Abbiamo deciso che la prossima volta che vieni a Roma ti rapiamo per una pizza. Non accettiamo scuse! Abbiamo ancora da darti il regalo per il tuo compleanno dell'anno scorso, quando all'ultimo momento ci hai dato buca. ;-)
Comunque in verità anche noi non ci vediamo spesso: una volta al mese quando va bene. Sonia con il figlio e il lavoro è sempre più impegnata. Stefano lavora anche lui otto ore al giorno e quando torna a casa è quasi impossibile smuoverlo. Un po' la stanchezza, un po' la sua proverbiale pigrizia... E io... io ultimamente viaggio spesso in Europa. Almeno una volta al mese vado due o tre giorni di trasferta. Atene, Monaco, Madrid, Parigi, ecc. Beh, mi diverto anche, se devo essere sincero. Proprio ieri sono tornato da Atene. E' sempre un'emozione stare sotto al Partenone!
E Massimiliano come sta? Si trova bene a New York?
E tu? Non mi hai ancora mai parlato della "grande mela". Da quello che scrivi sembra che lavoriate senza guardarvi intorno! Eppure in autunno deve essere bellissimo lì. O almeno così sembra dai film di Woody Allen.
Un grande bacio a te e un saluto a Max. Aspetto tue notizie.

Carlo

• *Carlo ha scritto questa lettera per inviarla via e-mail. Secondo te perché? Scrivi qui sotto le tue idee su questo mezzo di comunicazione, poi confrontale con un compagno.*

2 *Rileggi l'e-mail e prova a capire dal contesto il significato delle espressioni riportate qui sotto.*

lavoro come un mulo	
ci siamo fatti un sacco di risate	
ci hai dato buca	

3 *Guarda queste formule di chiusura tra amici. A quale tipo di comunicazione si possono riferire secondo te (puoi sceglierne anche più di uno)?*

Non so più che dirti quindi mi fermo qui e vado a studiare.	**TELEFONATA**
Ora è tardi e ho sonno. Ciao.	
Va bene, ci vediamo più tardi.	
Sono le nove di mattina e ho lezione di storia dell'arte fra poco!	**LETTERA**
Aspetto tue notizie.	
Spero di incontrarti a Roma il prossimo anno.	**E-MAIL**
Rispondimi per conferma altrimenti domani non ti tengo il posto.	

4 *L'e-mail è uno strumento di comunicazione molto particolare. Secondo te è più vicino alla lingua scritta o a quella orale? Indica dove la metteresti nello schema qui sotto, poi discuti con un compagno confrontando le vostre opinioni e compilando insieme la tabella.*

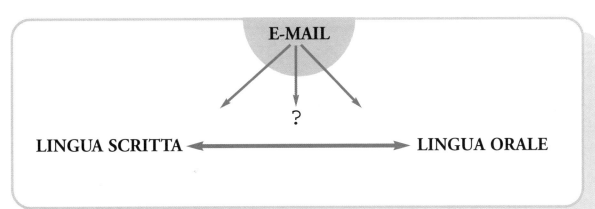

	differenze	similitudini
lingua scritta		
lingua orale		

E-mail

5 *Quali sono gli indirizzi di posta elettronica dei tuoi compagni di classe? Raccoglili qui sotto e quando vuoi scrivi una e-mail a uno, ad un gruppo o a tutti.*

nome	e-mail
Carlo (autore di questo libro)	*guastalla@almaedizioni.it*

15

Protestare

livello 4

1 *Leggi la lettera scritta dalla Signora Musanga alla ditta di servizi telefonici che gestisce il numero del suo cellulare.*

1   Dott.ssa Rosa Musanga
     V.le C. Balbo, 39
     00100 Roma

5   <u>CA: Dr. Silvio Benassi, Attenzione al Cliente</u>

                       Roma, 27 maggio 2003

10   Spett.le ditta,
     Vi scrivo per segnalarVi che dal g. 5 c.m. ricevo quotidianamente sul mio telefono cellulare dai tre ai cinque messaggi SMS al giorno, da me non sollecitati (nel senso che non appartengono ad un servizio da me mai richiesto), aventi tutti carattere promozionale di un servizio per adulti disponibile al numero telefonico 899 00 yy xx.

15   Tale numero appare a Voi assegnato in gestione, stando ai documenti disponibili sul sito del Ministero della Comunicazione.
     Vi faccio presente che - essendo io non vedente - la situazione mi sta causando non poche difficoltà, sia di tipo logistico (riempiendomi la memoria disponibile per i messaggi, mi rende impossibile riceverne altri),

20   sia di tipo personale (essendo costretta a farmeli leggere da un collega, il contenuto "per adulti" mi causa non pochi imbarazzi). Il comportamento del Vostro cliente, oltre ad essere eticamente discutibile, risulta anche in probabile violazione della legge sulla privacy. Mi limito a chiedere la cessazione di questi invii. Nel caso ciò non fosse possibile, vogliate

25   comunicarmi i dati relativi al Vostro cliente, in modo da poter adire le vie legali nei Suoi confronti come previsto dalla legge 675/96. Nel caso si rendesse necessario, provvederò ad informare dell'intera questione i mezzi di informazione, con prevedibili impatti sulla Vostra immagine pubblica.

30

     Resto in attesa di un Vs. cenno di riscontro e vi porgo distinti saluti.

                             Rosa Musanga

35

16

Protestare

2 *Nella lettera ci sono delle abbreviazioni. Trovale e scrivile vicino al loro significato.*

riga	significato dell'abbreviazione	abbreviazione
	Corrente mese	
	Dottor	
	Dottoressa	
	Spettabile	
	Vostro	
	Giorno	
	Alla cortese attenzione di	
	Viale	

3 *Nella lettera dell'attività 1 vengono usate alcune espressioni verbali, tipiche del testo molto formale. Prova, anche insieme ad un compagno, a spiegarne il significato.*

riga	espressione verbale	significato
18	Vi faccio presente	
32	Resto in attesa	
32	Vi porgo distinti saluti	

4 *Nelle lettere molto formali si usa rendere implicite le frasi relative. Nella lettera di protesta dell'attività 1 ne puoi trovare tre esempi. Trovali, scrivili nella tabella e trasformali nella forma esplicita come nell'esempio.*

riga	frase implicita	frase relativa
12-13	*da me non sollecitati*	*che io non ho sollecitato*

5 *Scegli per ogni verbo il sostantivo più adatto per formare espressioni verbali.*
Poi scrivi il verbo corrispondente all'espressione, come nell'esempio.

> i saluti - nota - conferma - alla conclusione - il dovere - una decisione -
> una ~~risposta~~ - l'avvio - comunicazione - visione - richiesta - la possibilità

1. Fornire <u>una risposta</u> (= <u>rispondere</u>)

2. Dare _____ (= _____)

3. Dare _____ (= _____)

4. Fare _____ (= _____)

5. Prendere _____ (= _____)

6. Porgere _____ (= _____)

7. Avere _____ (= _____)

8. Prendere _____ (= _____)

9. Avere _____ (= _____)

10. Dare _____ (= _____)

11. Prendere _____ (= _____)

12. Giungere _____ (= _____)

6 *Nella lettera dell'attività 1 ci sono tre verbi al gerundio che esprimono frasi causali.*
Trovali, scrivili nella tabella e trasformali in frasi esplicite, come nell'esempio.

riga	gerundio	frase esplicita
18	essendo io	poiché io sono

Protestare

7 *Completa il cruciverba della prossima pagina. Dove, in corrispondenza del numero, hai l'abbreviazione, devi inserire nel cruciverba la definizione. Dove hai la definizione devi inserire l'abbreviazione. Quando hai finito e sei sicuro delle parole, completa le tabelle scrivendo le definizioni e le abbreviazioni mancanti.*

Orizzontali →

Definizione		Abbreviazione	
		3	pag.
		5	Sig.ra
7	Nota Bene		
		8	g.
		9	V.
		10	a.c.
14	Dottore		
		15	ecc.
		18	vs
		19	Chia.mo *(per professori universitari)*
		21	C.P.
		23	c.so
26	Società a responsabilità limitata		
		27	Egr. *(femminile)*
		28	Ill.mo *(titolo onorifico)*
		30	Mons.
		31	tel.
32	Conto Corrente Postale		

16

Verticali ↓

Definizione		Abbreviazione	
1	giorni		
		2	Dott.ssa
		3	pp.
		4	Egr. *(maschile)*
5	Società Per Azioni		
		6	Prof.
		7	N.B.
		11	on.
		12	p. es.
		13	F.lli
		16	c.s.
		17	Avv.
20	Codice di Avviamento Postale		
21	compagnia		
		22	c/o
		24	Egr.i
		25	V.le
29	Società		

16

N.B. Quando scrivi una lettera, anche molto formale, non esagerare con le abbreviazioni.

Protestare

8 *Scegli una di queste tracce e scrivi la lettera.*

1. Hai comprato a Firenze una statua che riproduce il David di Michelangelo in scala 1:3. L'hai pagata 4000 euro. È passato un mese da quando sei tornata/o nel tuo paese e non hai nessuna notizia della statua. Scrivi alla "Florence in your garden" che ti ha venduto la statua.

3. Sei il Direttore della "Vinimport", che si occupa dell'importazione di vini italiani nel tuo paese. La "Cooperativa Produttori Chianti" ti ha inviato 200 bottiglie di vino avariato. Hai già parlato al telefono con il Signor Nuti, responsabile vendite, che è stato molto scortese sostenendo che ogni bottiglia è sottoposta a controlli accuratissimi e che è impossibile avere 200 bottiglie tutte avariate. Scrivi al Presidente della cooperativa.

2. Hai fatto un colloquio con una scuola di italiano del tuo paese per essere assunta/o come segretaria/o. Purtroppo hanno scelto una ragazza che non conosce bene l'italiano come te e non ha il tuo curriculum. Scrivi una lettera al direttore della scuola "ITALIANI!"

4. Hai deciso di vivere a Roma. L'agenzia, che ha sede amministrativa a Milano, ti aveva assicurato una casa al piano terra in una zona che, anche se centrale, non era rumorosa. Effettivamente la casa ha le finestre con i doppi vetri e non arriva nessun rumore dalla strada. Però nel palazzo a fianco c'è una sala prove in cui ogni sera suonano per ore gruppi che fanno musica Heavy Metal. Scrivi all'agenzia "Casac'è".

9 *Riguarda il testo che hai scritto e cerca di migliorarlo. Controlla:*

- Hai scritto le varie intestazioni al posto giusto? (Confronta con il testo dell'attività 1)
- Non esagerare con le abbreviazioni. E comunque ricontrollale, se sono scritte male si possono confondere. (Riguarda l'attività 7)
- Ci sono alcune frasi che puoi trasformare nella forma implicita? (Riguarda le attività 4 e 6)
- Hai usato espressioni verbali adeguate? (Riguarda le attività 3 e 5)

Lavora da solo e poi fatti aiutare da un compagno. Alla fine, quando sei soddisfatto, ricopia la lettera in bella copia.

10 *Leggi la lettera di un compagno e scrivi la risposta. Sei rispettivamente:*

1. Il Direttore Vendite all'estero della "Florence in your garden"

3. Il Presidente della "Cooperativa Produttori Chianti"

2. Il Direttore della scuola "ITALIANI!"

4. Il vice direttore Attenzione al Cliente dell'agenzia "Casac'è"

16

Corrispondenza

livello 4

1 *Questa è un'e-mail inviata ad una rubrica di lettere curata dal giornalista Beppe Severgnini sul sito internet del quotidiano "Il Corriere della Sera". La rubrica si chiama "Italians".*
Leggi e rispondi alle domande.

---

1 | Caro Beppe, cari Italians,

(…) per la prima volta nella mia lunga carriera di lettore di "Italians" non sono d'accordo con la risposta data da Beppe in merito ai plurali delle parole straniere. Sono fermamente
5 | convinto che i termini stranieri (e quindi anche quelli inglesi) debbano essere citati sempre e solo nella forma singolare, qualunque sia la loro accertata "familiarità" permeata nella lingua italiana. Questo per la semplice ragione che non si conoscono le regole grammaticali del plurale dei nomi di tutte le lingue del mondo e, con le contaminazioni linguistiche della nostra civiltà globalizzata, sarebbe per lo meno impossibile osservarle
10 | tutte. Una motivazione per tutte: tutti siamo capaci di formare il plurale di una parola inglese (nella maggior parte dei casi, basta aggiungere una -s alla voce singolare). Ma quanti di noi sanno come si forma il plurale, ad esempio, nella lingua russa? Come faremmo allora a formare il plurale di perestroika? Se dovessimo veramente seguire la regola dichiarata da Beppe, dovremmo allora dire "jean" al posto di "jeans"? E se
15 | volessimo considerare il latino una lingua straniera dovremmo dire allora "due referenda" (mai visto) e "tre curricula" (visto spesso). Quante volte poi avete visto scritte al plurale anche le sigle? Vi piace il termine "Vips"? Io inorridisco al solo pensarci.
Vi saluto,

20 | Cesare G. Rossi

---

a. Nella corrispondenza è importante saper scegliere le formule più appropriate per cominciare (formula di apertura) e per finire (formula di chiusura). In questa lettera quali sono?

> **apertura:** _ _ _ _ _ _ _ _ _ _ _ _ _ _ _ _ _ | **chiusura:** _ _ _ _ _ _ _ _ _ _ _ _ _ _ _ _ _ _ _

b. Come definiresti questa e-mail riguardo al grado di formalità?

amichevole	informale	formale/informale	formale	molto formale
❏	❏	❏	❏	❏

c. Quali sono gli elementi e/o le parti del testo che ti hanno indicato il grado di formalità? Sottolineali nel testo e discutine con un compagno.

Corrispondenza

2 Riprendi la lettera dell'attività 1. Tra la riga 11 e la riga 17 c'è una serie di domande. In italiano diciamo che queste sono "domande retoriche". Sai il perché? Discuti con un compagno e cerca di dare una spiegazione.

> *Una domanda retorica è...*

3 Collega al mezzo più adatto le formule di apertura più utilizzate in una comunicazione scritta. Attenzione, ogni formula può essere utilizzata per più tipi di corrispondenza.

formule di apertura	mezzo
Egregio Presidente Gentile dott. Rossi, Ciao Roberto, Mio caro Giorgio, Cara Marta, Spett.le ditta, Salve a tutti, Roberto! Chiarissimo Professore, (Nessuna formula di apertura)	**lettera commerciale** **lettera amichevole** **e-mail** **cartolina** **lettera formale**

4 Fai lo stesso lavoro dell'attività precedente, ma con le formule di chiusura.

formule di chiusura	mezzo
Beh, ciao, alla prossima. A presto. Con i migliori saluti. Ti abbraccio. Un bacio. Ciao ciao. Cordialmente. Distinti saluti. Cordiali saluti. Ora ti saluto, ti riscrivo con più calma domani.	**lettera commerciale** **lettera amichevole** **e-mail** **cartolina** **lettera formale**

5 *Copia nello schema qui sotto le formule di apertura e chiusura delle attività 3 e 4, ordinandole in base al grado di formalità e scrivendo vicino per quale testo le useresti.*

formula per:		formule, da meno formale a più formale	tipo di corrispondenza
apertura	1	*(nessuna formula di apertura)*	*cartolina, e-mail*
	2		
	3		
	4		
	5		
	6		
	7		
	8		
	9		
	10	*Spett.le ditta*	*lettera commerciale*
chiusura	1	*Ciao ciao*	*cartolina, e-mail, lettera amichevole*
	2		
	3		
	4		
	5		
	6		
	7		
	8		
	9		
	10	*Cordialmente*	*lettera formale e commerciale*

6 *Devi inviare una lettera al Prof. Naddeo. Scrivi sulla busta l'indirizzo qui sotto (destinatario) e il tuo indirizzo (mittente):*

Prof. Ciro Massimo Naddeo,
Via Lenin 321, 50014, Fiesole, Fi, Italia

@ **Per conoscere il modo migliore per scrivere l'indirizzo sulla busta di una lettera vai al sito delle Poste italiane: http://www.poste.it/postali/lettere/indirizzo.shtml**

Corrispondenza

7 *Nella lettera dell'attività 1 ci sono alcune domande retoriche (vedi l'attività 2). Trasformale in affermazioni, cercando di mantenere il più possibile il significato originario, come nell'esempio.*

1. Ma quanti di noi sanno come si forma il plurale, ad esempio, nella lingua russa?	*Nessuno di noi sa come si forma il plurale, ad esempio, nella lingua russa.*
2. Come faremmo allora a formare il plurale di perestroika?	
3. Se dovessimo veramente seguire la regola dichiarata da Beppe, dovremmo allora dire "jean" al posto di "jeans"?	
4. Quante volte poi avete visto scritte al plurale anche le sigle?	
5. Vi piace il termine "Vips"?	

8 *Qui sotto hai alcune delle formule di apertura e chiusura di cartoline e lettere presenti in questo libro. Scegli, tra le tre possibilità, la formula che ti sembra più appropriata al tipo di testo, al destinatario e al contenuto.*

APERTURA CARTOLINA alla nonna. *Unità 2*	**Ciao nonna. / Gentile Signora, / Salve nonna,** Finalmente sono a Roma. (…)
APERTURA CARTOLINA ad un'amica. *Unità 2*	**Luisa! / Cara Luisa, / Spett.le Luisa,** sono arrivata a Roma ieri. (…)
CHIUSURA CARTOLINA alla nonna. *Unità 2*	(…) Un grande bacio dalla più bella città del mondo. **Beh, ciao, alla prossima / A presto / Distinti saluti** Francesco
CHIUSURA CARTOLINA ad un'amica. *Unità 2*	(…) Spero che prima o poi riusciremo a vederci, da qualche parte, in Italia o nel mondo. **Cordialmente / Con i migliori saluti / Un bacio** Letizia
APERTURA LETTERA alla mamma. *Unità 12*	**Cara mamma, / Mamma! / Mia cara mamma,** stamattina mi è successa una cosa terribile. (…)
CHIUSURA LETTERA alla mamma. *Unità 12*	**(…) Un bacio. / Ciao ciao. / Cordiali saluti.** Non stare in pensiero, stai bene. Carla
APERTURA LETTERA di protesta. *Unità 16*	**Egregio Presidente, / Spett.le ditta, / Cari signori,** Vi scrivo per segnalarVi che…
CHIUSURA LETTERA di protesta. *Unità 16*	**(…) Vi porgo distinti saluti. / Con i migliori saluti. / Ciao.** Rosa Musanga

17

Corrispondenza

9 *Nella tabella A trovi i destinatari delle sei corrispondenze della tabella B (in ordine). Scrivi per ogni testo una formula di apertura adeguata al destinatario, al contenuto e al grado di formalità. Scegli poi nella tabella C una formula di chiusura adeguata a completare ogni testo.*

A

1. il Presidente del Consiglio	2. Marta	3. Sky S.p.A.	4. molte persone	5. Professor Mascagni	6. i colleghi del lavoro

B

1. .... Le scrivo allo scopo di farLe presente tutta la mia solidarietà per gli attacchi a cui Lei è stato sottoposto negli ultimi giorni da parte della stampa estera. .... Mario Rossi

2. .... ti allego il file che mi avevi chiesto. Spero che riusciremo anche a vederci presto per un caffè, oltre a sentirci solo per lavoro. .... Luigi

3. .... con la presente il sottoscritto presenta regolare disdetta del contratto con Voi stipulato, a far data dalla prossima scadenza. .... Carlo Manzi

4. .... come qualcuno di voi saprà, lavoro negli USA in qualità di insegnante di italiano e spagnolo, inoltre frequento un College locale per conseguire una laurea con specializzazione nella lingua italiana. Con tale laurea è possibile trovare un impiego come insegnante della ns. lingua presso Università italiane quali Perugia o Siena? .... James Schettini

5. .... ho appena letto della chiusura della rivista *Realia* e sono incredula. La rivista è ormai diventata uno strumento indispensabile di lavoro. I problemi che si presentano e che si devono risolvere a chi lavora in una P.A. sono innumerevoli e *Realia* ci ha sempre dato una mano a farlo. Non è giusto mollare, vada avanti, tutti i Suoi lettori La sosterranno. La ringrazio per l'ottimo lavoro svolto. .... Dott.ssa Luigia Chiaretti Fondi

6. .... come potete immaginare... sto benissimo! Qui il mare è fantastico e non faccio altro che fare bagni, leggere in spiaggia e abbronzarmi. Questa sì che è una vacanza! Beh, voi non divertitevi troppo al lavoro! .... Paolo

C

Con i migliori saluti.	Cordialmente	Un bacio.	Distinti saluti.	A presto	Ci vediamo.

10 *Tra i sei testi dell'attività 9, uno è una cartolina e due sono e-mail. Quali?*

e-mail, n°..............	cartolina, n°...............	e-mail, n°..............

1 *Lettura differenziata.*
Studente A - Leggi il testo e rispondi alla domanda.

Un vero coraggio Benigni lo avrebbe dimostrato se il suo film si fosse intitolato, come lucidamente ha commentato Jean Luc Godard, "La vita è bella ad Auschwitz". Non voglio dire che Benigni abbia sbagliato a scegliere il tono della favola per parlare dell'Olocausto: i romanzieri possono essere più fedeli degli storici, anche se certe superficialità nella ricostruzione sono un po' gravi, soprattutto pensando all'impressione che ne possono aver ricavato tanti ragazzi a cui la scuola non ha insegnato niente, o quasi, sulla storia del Novecento. In realtà, poi, nella seconda parte il film vira verso un tono più realistico (il treno, le baracche, le casacche dei deportati), che serve per toccare di più le corde degli spettatori, ma è subito contraddetto dall'idea sulla quale si regge l'intera struttura, secondo cui nel lager si può giocare e, con la buona volontà, l'umorismo e una sana innocenza, si può anche vincere (un carro armato!): certo, ci sono stati momenti tristi ma, in fondo, la vita è bella e questo è il migliore dei mondi possibili! La strada della fiaba andava invece percorsa interamente, ma con toni più onirici e allegorici, per costruire un apologo sulla possibilità dell'uomo di resistere al male: forse però questo andava oltre le capacità degli autori e anche le loro intenzioni. Roberto Benigni è senza dubbio un personaggio simpatico ma ha annacquato il suo talento in decine di apparizioni televisive e nell'inseguire un facile consenso di pubblico: era difficile, ahimè, aspettarsi ormai qualcosa di diverso e il successo agli Oscar, secondo me, lo premia proprio per questo.

(estratto da "Benigni, ti volevo bene" di Paolo Baldi apparsa su: http://www.kultunderground.org/w9903/z0399_benigni.htm)

Di che tipo di testo si tratta?

A. trama del film ❑
B. recensione del film ❑
C. pubblicità del film ❑

• *Cerca uno studente che ha letto il testo B. Raccontatevi il contenuto e le caratteristiche dei vostri testi.*

1 *Lettura differenziata.*
Studente B - Leggi il testo e rispondi alla domanda.

Non c'è paragone tra le farse con le quali Benigni aveva sbancato il botteghino nelle scorse stagioni cinematografiche e questo autentico gioiello, col quale è riuscito a sorprendere quanti in passato avevano storto la bocca di fronte alla sproporzione fra il suo genio di clown e la sua mediocrità di autore. Non che Benigni sia diventato improvvisamente un grande regista o che il film sia un capolavoro perfetto; tutt'altro. Ma poco importa, tanta è la straordinaria forza poetica dell'idea sulla quale lui e Vincenzo Cerami hanno costruito questo indimenticabile apologo: usare il sorriso per preservare un bambino dall'orrore, affinché in futuro possa continuare a pensare che la vita è bella. È un'idea degna di Chaplin per il perfetto dosaggio di comicità e sentimento, di drammaticità e leggerezza, di amarezza e di ottimismo, di irriverenza e di rigore morale. Un'idea che celebra l'eroismo della fantasia, che fulmina in una luce assoluta l'assurdità del razzismo della sopraffazione, che appaia l'intollerabilità della violenza sui corpi a quella della mortificazione dell'anima. Sarebbe stato facile per Benigni, forte dell'amore di un pubblico che sembra entusiasmarsi per qualsiasi cosa faccia o dica, adagiarsi come un Pieraccioni sulla facile replica di formule già collaudate. E invece con questo bellissimo film colma in maniera definitiva l'abisso che separa il talento dalla poesia. Ciò gli è valso il premio speciale della giuria al festival di Cannes; o, come preferisce chiamarlo Benigni, il Dattero d'Oro.

(estratto da: http://www.teatron.org/ebraica/eventi/lavitabella.htm)

18

Di che tipo di testo si tratta?

A. trama del film ❑
B. recensione del film ❑
C. pubblicità del film ❑

• **Cerca uno studente che ha letto il testo A. Raccontatevi il contenuto e le caratteristiche dei vostri testi.**

Opinione

2 *Collega le parole e le espressioni alla loro funzione nel testo, come nell'esempio.*

Introduce un concetto che toglie forza ad un altro espresso in precedenza	Un vero coraggio Benigni lo avrebbe dimostrato se il suo film si fosse intitolato, come lucidamente ha commentato Jean Luc Godard, "La vita è bella ad Auschwitz". **Non voglio dire che** Benigni abbia sbagliato a scegliere il tono della favola per parlare dell'Olocausto: i romanzieri possono essere più fedeli degli storici, **anche se** certe superficialità nella ricostruzione sono un po' gravi, soprattutto pensando all'impressione che ne possono aver ricavato tanti ragazzi a cui la scuola non ha insegnato niente, o quasi, sulla storia del Novecento. **In realtà**, poi, nella seconda parte il film vira verso un tono più realistico (il treno, le baracche, le casacche dei deportati), che serve per toccare di più le corde degli spettatori, **ma** è subito contraddetto dall'idea sulla quale si regge l'intera struttura, secondo cui nel lager si può giocare e, con la buona volontà, l'umorismo e una sana innocenza, si può anche vincere (un carro armato!): **certo**, ci sono stati momenti tristi ma, in fondo, la vita è bella e questo è il migliore dei mondi possibili! La strada della fiaba andava **invece** percorsa interamente, ma con toni più onirici e allegorici, per costruire un apologo sulla possibilità dell'uomo di resistere al male: **forse però** questo andava oltre le capacità degli autori e anche le loro intenzioni. Roberto Benigni è senza dubbio un personaggio simpatico ma ha annacquato il suo talento in decine di apparizioni televisive e nell'inseguire un facile consenso di pubblico: era difficile, **ahimè**, aspettarsi ormai qualcosa di diverso e il successo agli Oscar, secondo me, lo premia proprio per questo.	*Introduce una conclusione a cui potrebbe arrivare il lettore ma che non rispecchia l'idea dell'autore*
Introduce un concetto che limita un altro concetto espresso in precedenza		*Introduce una considerazione ovvia*
Introduce una alternativa considerata migliore rispetto ad un'altra espressa in precedenza		*Introduce una ipotesi che spiegherebbe la mancata realizzazione di una considerazione espressa in precedenza*
Introduce una considerazione che si deve fare per correttezza		*Indica un dispiacere nel concetto che si sta esprimendo*

3 *Inserisci le parole e le espressioni dove ti sembra più appropriato.*
Sono in ordine.

1. non che	Non c'è paragone tra le farse con le quali Benigni aveva sbancato il botteghino nelle scorse stagioni cinematografiche e questo autentico gioiello, col quale è riuscito a sorprendere quanti in passato avevano storto la bocca di fronte alla sproporzione fra il suo genio di clown e la sua mediocrità di autore. Benigni sia diventato improvvisamente un grande regista o che il film sia un capolavoro
2. tutt'altro	perfetto, . poco importa, è la straordinaria forza poetica dell'idea sulla quale lui e Vincenzo Cerami hanno costruito questo indimenticabile apologo: usare il sorriso per preservare un bambino dall'orrore, in futuro possa continuare a pensare che la vita è bella. È un'idea degna di Chaplin per il perfetto dosaggio di comicità e sentimento, di drammaticità e leggerezza, di amarezza e di ottimismo, di irriverenza e di rigore morale. Un'idea che celebra l'eroismo della fantasia, che fulmina in una luce assoluta l'assurdità del razzismo della sopraffazione, che affianca l'intollerabilità della violenza sui corpi a quella della mortificazione dell'anima. Sarebbe stato facile per Benigni, forte dell'amore di un pubblico che sembra entusiasmarsi per qualsiasi cosa faccia o dica, adagiarsi come un
3. ma	
4. tanta	Pieraccioni sulla facile replica di formule già collaudate. con questo bellissimo film colma in maniera definitiva l'abisso che separa il talento dalla poesia. gli è valso il premio speciale della giuria al festival di Cannes; o, come preferisce chiamarlo Benigni, il Dattero d'Oro.

5. affinché

6. e invece

7. ciò

Opinione

4 *Scegli alcune delle caratteristiche elencate accanto alla foto (e altre a tuo piacimento) e scrivi un piccolo testo (60 - 70 parole) formulando un giudizio finale su Luciano Pavarotti.*

Luciano Pavarotti

è opportunista · è bravo · è brutto · è grasso · fa beneficenza · è simpatico · è vecchio · è imponente · non paga le tasse · non è elegante · ha una gran voce · è pesante · non è · ha una brutta voce · è bello · è ricco · è antipatico · è stonato · ha fascino · è falso · è elegante · ha classe · è di vedute aperte

5 *Riguarda il testo che hai scritto e cerca di migliorarlo. Controlla:*

• Hai usato i connettivi? (Riguarda le attività 2 e 3)
• Hai scelto i connettivi giusti?

Lavora da solo e poi fatti aiutare da un compagno. Alla fine, quando sei soddisfatto, ricopia il testo in bella copia.

6 *C'è un secondo Diluvio Universale. Noè costruisce l'Arca per salvare gli animali. Tu sei un cane di razza Dobermann. Corri verso la barca per essere il primo della tua razza e salvarti. Ma davanti alla porta trovi questo manifesto:*

Sull'Arca di Noè è

VIETATO L'INGRESSO AI CANI DOBERMANN

I cani di razza Dobermann non sono stati creati dal Signore e quindi non sono ammessi sull'arca.
Inoltre i Dobermann, benché siano certamente belli, possiedono evidenti problemi caratteriali di aggressività e pericolosità che rischierebbero di creare seri problemi sulla nave.

Stiamo stilando una lista con tutti gli animali nati da incroci creati dall'uomo, come il Mulo e molte specie di cani e gatti. Invitiamo quindi tutti gli animali di questo genere a non cercare di salire sull'Arca.

- *Scrivi una lettera a Noè per sostenere la tua utilità e i tuoi pregi, invitandolo a farti salire sull'Arca.*

Esposizione
livello 4

1 *Leggi il testo.*

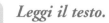

Italiani al volante: il cellulare il vizio peggiore

ROMA, 24 OTTOBRE 2001 - Sms, telefonate, pettegolezzi da rivelare il prima possibile senza aspettare di arrivare a casa: la "cellulare – dipendenza" non abbandona gli italiani neanche quando sono al volante e il telefonino si trasforma nel **vizio** più grave e pericoloso per chi è in macchina.

A rivelarlo è il mensile *Quattroruote* che in un'indagine pubblicata sul numero di novembre stila la classifica dei dieci **vizi** capitali degli italiani alla guida.

La tecnologia nasconde **insidie** inaspettate e costituisce il principale **motivo** di distrazione per chi distoglie occhi e orecchie dalla strada per comporre un numero o per chiacchierare amabilmente da abitacoli che assomigliano sempre di più a salotti. Secondo alcuni recenti **studi** americani, informa *Quattroruote*, l'uso del cellulare mentre si guida quadruplica infatti le probabilità di incidente, portandole allo stesso livello di chi si mette al volante con un tasso alcolemico al limite della legalità. Ma anche gli utilissimi **sistemi** di navigazione satellitare, se usati in modo non del tutto corretto, possono essere causa di eccessiva **distrazione**: programmare il navigatore mentre si è in movimento può essere infatti particolarmente pericoloso soprattutto se si viaggia a **velocità** elevata.

Nella classifica delle cattive **abitudini** trovano un posto d'onore il mancato **uso** delle cinture di sicurezza e dei seggiolini e le **reazioni** emotive dovute all'aggressività e allo stress, che meritano una particolare **menzione** come principale **causa** di continue **violazioni** del codice della strada.

L'effettiva **ignoranza** delle **norme** basilari del codice si piazza al quarto posto della classifica, seguita dall'incapacità di controllare gli **specchietti** retrovisori.

Le ultime cinque posizioni riguardano invece più da vicino la tecnica di guida. Secondo *Quattroruote*, gli italiani sbagliano infatti troppo spesso la regolazione del sedile e la posizione che assumono al volante: braccia e gambe sono spesso troppo distese (fatto che ostacola il controllo del veicolo in curva), mentre le mani, anziché stringere il volante, restano sulla leva del cambio. Al settimo posto della hit parade tutta negativa dei vizi, la difficoltà nell'eseguire **frenate** corrette, all'ottavo l'incapacità di individuare una **traiettoria** esatta per percorrere una curva, al nono la scarsa **valutazione** dell'entità dei pericoli in **condizioni meteorologiche** avverse, al decimo la cattiva **manutenzione** dell'auto.

(da "La nazione", 24 ottobre 2001)

2 *Lavora sul testo dell'attività 1. Trova l'aggettivo che si riferisce ad ogni sostantivo sottolineato, evidenzialo e poi copialo nella tabella nella posizione che occupa nel testo, prima o dopo il sostantivo, come negli esempi.*

	vizio *più grave*	menzione
	vizi	causa
	insidie	violazioni
principale	motivo	ignoranza
	studi	norme
	sistemi	specchietti
	distrazione	frenate
	velocità	traiettoria
	abitudini	valutazione
	uso	condizioni meteorologiche
	reazioni	manutenzione

19

• *La posizione dell'aggettivo cambia il significato di quello che si vuole scrivere*. Riguarda le sequenze "aggettivo – sostantivo" o "sostantivo – aggettivo" nel testo e completa le due regole inserendo le parole:*

prima del sostantivo – dopo il sostantivo

L'aggettivo _____ → **non aiuta a identificare l'oggetto a cui si riferisce ma lo descrive o lo valuta.**

L'aggettivo _____ → **aiuta a identificare di quale aspetto del sostantivo si vuole scrivere.**

* *L'insegnante può trovare una nota di approfondimento su questo argomento a pag. 115.*

Esposizione

3 *In questo testo gli aggettivi sono scritti due volte: prima e dopo il sostantivo a cui si riferiscono. Uno solo dei due è nella posizione giusta. Leggi il testo e cancella quello che non ti sembra nella posizione appropriata. Qualche volta dovrai anche scegliere l'articolo giusto.*

Alberto Sordi: storia di un italiano.

È morto ieri sera nella sua casa romana un pezzo di storia d'Italia

Con Alberto Sordi, morto ieri sera a Roma a 82 anni, per un **cardiocircolatorio** arresto **cardiocircolatorio** provocato dalle complicazioni di una **cronica** bronchite **cronica** (come riferito da una portavoce) non scompare soltanto un **grande** attore **grande** ma un **unico** protagonista **unico** del costume. Uno specchio dell'**italiana** anima **italiana**, che sopravviverà sullo schermo, dove ha interpretato oltre 150 pellicole.

Nato il 15 giugno 1920 e figlio di un musicista, Alberto Sordi aveva esordito da ragazzo al teatro, vincendo poi il concorso di doppiatore di Oliver Hardy, ed era riuscito ad ottenere il **primo** ruolo **primo** di coprotagonista sullo schermo in "I tre aquilotti" (1942) di Mario Mattioli.

Dopo la popolarità ottenuta alla radio con macchiette come il pedante Mario Pio, fa un salto di qualità negli anni Cinquanta, nel sodalizio con Fellini, in due **impietosi** ritratti **impietosi**: del **patinato** mondo **patinato** dei fotoromanzi ("Lo sceicco bianco", 1952) e **degli/dei immaturi** trentenni **immaturi** di provincia ("I vitelloni", 1953).

Nel 1954 fa vivere una maschera di **furbo e meschino** ragazzo **furbo e meschino** nel film "Un americano a Roma" di Steno, che con Monicelli viene riscattata da un **eroico** epilogo **eroico** ("La Grande Guerra", 1959).

Gli anni del boom Sordi li racconta con una galleria di **indimenticabili** personaggi **indimenticabili** della commedia all'italiana. Da "Il vedovo" (1959) di Dino Risi a "Il vigile" (1961) di Luigi Zampa, a "Mafioso" (1962) di Alberto Lattuada: **impietosi**

ritratti **impietosi**, quasi compiaciuti di italiani votati al compromesso sottobanco. Ma anche con film di **amara** riflessione **amara**: l'8 settembre di "Tutti a casa" di Luigi Comencini (1960) e le delusioni di un ex partigiano giornalista che sconta la propria integrità in "Una vita difficile" (1961) di Dino Risi.

Gli anni Sessanta portano una galleria di commedie che sono **sociali** spaccati **sociali**, come "Il medico della mutua" (1968) di Luigi Zampa, o "Detenuto in attesa di giudizio" (1971) di Nanni Loy, prima di tornare a lavorare con Fellini in "Roma" (1972).

"Un borghese piccolo piccolo" (1977) presenta un **inedito** Sordi **inedito**, capace di una **feroce** vendetta **feroce** contro il balordo che gli ha ucciso **il/l'adorato** figliolo **adorato**, sotto la regia di Mario Monicelli che ne sfrutterà la versatilità in un ruolo agli antipodi in "Il marchese del Grillo" (1981) nella **papalina** Roma **papalina**.

Meno indimenticabili sono i film di Sordi degli ultimi anni. Con un pizzico di rimpianto. Anche se quei ritratti di 40 anni fa, tra furbizie, piccinerie e arte di arrangiarsi fuori dalle regole, più con astuzie alla giornata che con **solidi** principi **solidi**, raccontano ancora molto. Dell'Italia di ieri e forse di quella di oggi.

Sin dal **primo** mattino **primo**, la casa di piazza Numa Pompilio in cui l'attore viveva, e dove è morto ieri sera, è stata meta di un pellegrinaggio di autorità, personaggi dello spettacolo e **comuni** cittadini **comuni** di una capitale che lo aveva eletto a proprio simbolo, nominandolo anche per un giorno **onorario** sindaco **onorario**. I funerali, annunciati in un primo tempo nella Chiesa degli Artisti, sono stati invece spostati nella più capiente basilica di San Giovanni.

(tratto da: Reuters, rassegna stampa, 25 febbraio 2003)

19

4 *Confronta il testo originale con l'attività 3, poi svolgi l'esercizio.*

Con Alberto Sordi, morto ieri sera a Roma a 82 anni, per un arresto **cardiocircolatorio** provocato dalle complicazioni di una bronchite **cronica** (come riferito da una portavoce) non scompare soltanto un **grande** attore ma un protagonista **unico** del costume. Uno specchio dell'anima **italiana**, che sopravviverà sullo schermo, dove ha interpretato oltre 150 pellicole.

Nato il 15 giugno 1920 e figlio di un musicista, Alberto Sordi aveva esordito da ragazzo al teatro, vincendo poi il concorso di doppiatore di Oliver Hardy, ed era riuscito ad ottenere il **primo** ruolo di coprotagonista sullo schermo in "I tre aquilotti" (1942) di Mario Mattioli.

Dopo la popolarità ottenuta alla radio con macchiette come il pedante Mario Pio, fa un salto di qualità negli anni Cinquanta, nel sodalizio con Fellini, in due ritratti **impietosi**: del **patinato** mondo dei fotoromanzi ("Lo sceicco bianco", 1952) e degli **immaturi** trentenni di provincia ("I vitelloni", 1953).

Nel 1954 fa vivere una maschera di ragazzo **furbo e meschino** nel film "Un americano a Roma" di Steno, che con Monicelli viene riscattata da un epilogo **eroico** ("La Grande Guerra", 1959).

Gli anni del boom Sordi li racconta con una galleria di personaggi **indimenticabili** della commedia all'italiana. Da "Il vedovo" (1959) di Dino Risi a "Il vigile" (1961) di Luigi Zampa, a "Mafioso" (1962) di Alberto Lattuada: ritratti **impietosi**, quasi compiaciuti di italiani votati al compromesso sottobanco. Ma anche con film di riflessione **amara**: l'8 settembre di "Tutti a casa" di Luigi Comencini (1960) e le delusioni di un ex partigiano giornalista che sconta la propria integrità in "Una vita difficile" (1961) di Dino Risi.

Gli anni Sessanta portano una galleria di commedie che sono spaccati **sociali**, come "Il medico della mutua" (1968) di Luigi Zampa, o "Detenuto in attesa di giudizio" (1971) di Nanni Loy, prima di tornare a lavorare con Fellini in "Roma" (1972).

"Un borghese piccolo piccolo" (1977) presenta un Sordi **inedito**, capace di una vendetta **feroce** contro il balordo che gli ha ucciso l'**adorato** figliolo, sotto la regia di Mario Monicelli che ne sfrutterà la versatilità in un ruolo agli antipodi in "Il marchese del Grillo" (1981) nella Roma **papalina**.

Meno indimenticabili sono i film di Sordi degli ultimi anni. Con un pizzico di rimpianto. Anche se quei ritratti di 40 anni fa, tra furbizie, piccinerie e arte di arrangiarsi fuori dalle regole, più con astuzie alla giornata che con **solidi** principi, raccontano ancora molto. Dell'Italia di ieri e forse di quella di oggi.

Sin dal **primo** mattino, la casa di piazza Numa Pompilio in cui l'attore viveva, e dove è morto ieri sera, è stata meta di un pellegrinaggio di autorità, personaggi dello spettacolo e cittadini **comuni** di una capitale che lo aveva eletto a proprio simbolo, nominandolo anche per un giorno sindaco **onorario**. I funerali, annunciati in un primo tempo nella Chiesa degli Artisti, sono stati invece spostati nella più capiente basilica di San Giovanni.

19

• *Per ogni aggettivo evidenziato discuti con un compagno per rispondere alle domande scritte qui sotto.*

1. È possibile mettere l'aggettivo nella posizione opposta al sostantivo?

> **NO** ➜ perché?
> **SÌ** ➜ vai alla prossima domanda.

2. Se l'aggettivo fosse nella posizione opposta, cambierebbe il significato?

> **NO** ➜ siete sicuri?
> **SÌ** ➜ in che modo?

Esposizione

• *Leggi questa regola e verifica le riflessioni fatte.*

In un testo "espositivo" si forniscono e si interpretano dei dati. Il testo dell'attività 4 è di questo genere: spiega chi era Alberto Sordi, fornisce informazioni, interpreta la sua carriera. Il "testo espositivo" quindi deve chiarire le idee su un qualsiasi argomento e proprio per queste caratteristiche gli aggettivi saranno, nella maggior parte dei casi, dopo il sostantivo.

5 *Discuti con un compagno e prova a spiegare le differenze di significato nelle coppie di frasi scritte qui sotto.*

1
A - Anna Karenina è un **grande** libro.
B - Anna Karenina è un libro **grande**.

2
A - Oggi c'è stato un **unico** spettacolo.
B - Oggi c'è stato uno spettacolo **unico**.

3
A - Piero è un **buon** insegnante.
B - Piero è un insegnante **buono**.

6 *Ora prova a scrivere tre coppie di frasi in cui cambia solo la posizione dell'aggettivo. Gli aggettivi che devi usare sono: piccolo, vecchio, cattivo.*

1
A - _____

B - _____

2
A - _____

B - _____

3
A - _____

B - _____

7 *Sei stato scelto per scrivere un articolo di giornale in cui esponi il metodo di insegnamento della scuola in cui studi l'italiano.*

COME SI STUDIA L'ITALIANO NELLA SCUOLA _____

8 *Riguarda il testo che hai scritto e cerca di migliorarlo. Controlla:*

- Hai evitato di fare commenti troppo espliciti?
- Sei stato chiaro? Hai seguito un ordine dei temi di cui hai parlato?
- Controlla la posizione degli aggettivi. (Riguarda l'attività 4).

Lavora da solo e poi fatti aiutare da un compagno. Alla fine, quando sei soddisfatto, ricopia il testo in bella copia.

Formalità

livello 4

1 *Qui di seguito ci sono tre versioni della stessa lettera. In due lettere sono state cambiate molte delle espressioni evidenziate. Una delle tre è invece l'originale. Leggile attentamente e trova l'originale.*

Lettera al Senato dei militanti della lista Non Fumatori

Ai Senatori:
Amato, Battaglia, Bergamo, Chincarini, Dettori, Gasbarri, Giovanelli, Iovene, Lavagnini, Manfredi, Marano, Moncada, Montino, Mulas, Novi, Ponzo, Rizzi, Rollandin, Rotondo, Scotti, Specchia, Vallone, Zappacosta, Zavoli.

1 ☐
vi scriviamo **in occasione della** discussione dell'emendamento **relativo al** divieto di fumo che si terrà nei giorni 7, 8 e 9 maggio 2002 nella Commissione Territorio, Ambiente e Beni Ambientali. Molti di voi hanno **infatti** ricevuto varie comunicazioni da parte di alcuni esponenti del nostro gruppo di attivismo nell'area della prevenzione dei rischi da fumo. **Non si vuole nuovamente** motivare le tante ragioni che ci spingono a sollecitare il varo di questa norma, **quanto**, in vista di questa data, **vogliamo sottolineare che** milioni di italiani, fumatori e non, concordano sulla necessità e sull'urgenza di vedere approvata **in poco tempo** una legge che estenda il divieto di fumare a tutti i locali aperti al pubblico e ai luoghi privati di lavoro **senza** deroghe derivanti dall'uso di aspiratori o dalla presenza di aree separate. **Secondo noi** tali deroghe potrebbero comportare svantaggi a carico dei lavoratori che prestano servizio nelle aree per fumatori e dei gestori che, per vari motivi, non potranno adeguare i propri locali. **Si sa che** in ambito parlamentare c'è **in questo periodo** sensibilità nei confronti di questo problema e **quindi** ci auguriamo **vivamente** che non si verifichino ulteriori rinvii per la soluzione di un problema definito prioritario dalla letteratura scientifica internazionale e dal nostro Piano Sanitario Nazionale. Cordiali saluti.

2 ☐
vi scriviamo **in merito alla** discussione dell'emendamento **relativo al** divieto di fumo che si terrà nei giorni 7, 8 e 9 maggio 2002 nella Commissione Territorio, Ambiente e Beni Ambientali. Molti di voi hanno **già** ricevuto varie comunicazioni da parte di alcuni esponenti del nostro gruppo di attivismo nell'area della prevenzione dei rischi da fumo. **Non vogliamo ulteriormente** motivare le tante ragioni che ci spingono a sollecitare il varo di questa norma, **ma**, in vista di questa data, **vogliamo sottolineare il fatto che** milioni di italiani, fumatori e non, concordano sulla necessità e sull'urgenza di vedere approvata **in tempi brevi** una legge che estenda il divieto di fumare a tutti i locali aperti al pubblico e ai luoghi privati di lavoro **senza la possibilità di** deroghe derivanti dall'uso di aspiratori o dalla presenza di aree separate. **Riteniamo che** tali deroghe potrebbero comportare svantaggi a carico dei lavoratori che prestano servizio nelle aree per fumatori e dei gestori che, per vari motivi, non potranno adeguare i propri locali. **Sappiamo che** in ambito parlamentare c'è **al momento** sensibilità nei confronti di questo problema e **quindi** ci auguriamo **vivamente** che non si verifichino ulteriori rinvii per la soluzione di un problema definito prioritario dalla letteratura scientifica internazionale e dal nostro Piano Sanitario Nazionale. Cordiali saluti.

20

3 ☐

vi scriviamo **in relazione alla** discussione dell'emendamento **relativo al** divieto di fumo che si terrà nei giorni 7, 8 e 9 maggio 2002 nella Commissione Territorio, Ambiente e Beni Ambientali. Molti di voi hanno **già** ricevuto varie comunicazioni da parte di alcuni esponenti del nostro gruppo di attivismo nell'area della prevenzione dei rischi da fumo. **Non vogliamo poi** motivare le tante ragioni che ci spingono a sollecitare il varo di questa norma, **quanto**, in vista di questa data, **vogliamo dire che** milioni di italiani, fumatori e non, concordano sulla necessità e sull'urgenza di vedere approvata **subito** una legge che estenda il divieto di fumare a tutti i locali aperti al pubblico e ai luoghi privati di lavoro **senza che ci siano** deroghe derivanti dall'uso di aspiratori o dalla presenza di aree separate. **Pensiamo che** tali deroghe potrebbero comportare svantaggi a carico dei lavoratori che prestano servizio nelle aree per fumatori e dei gestori che, per vari motivi, non potranno adeguare i propri locali. È a tutti noto che in ambito parlamentare c'è **in questo periodo** sensibilità nei confronti di questo problema e **dunque** ci auguriamo **proprio** che non si verifichino ulteriori rinvii per la soluzione di un problema definito prioritario dalla letteratura scientifica internazionale e dal nostro Piano Sanitario Nazionale.

Cordiali saluti.

2 *Confronta la tua scelta con un compagno e insieme scrivete qui sotto i motivi che vi hanno portato a preferire una lettera alle altre.*

Formalità

3 *La lettera originale era la n° 2.*
In questa lettera alcune frasi possono essere riformulate partendo da un inizio diverso da quello originale. Riscrivile facendo i dovuti cambiamenti ma cercando di rimanere il più possibile fedele al senso originario.

(…) vi scriviamo in merito alla discussione dell'emendamento relativo al divieto di fumo che si terrà nei giorni 7, 8 e 9 maggio 2002 nella Commissione Territorio, Ambiente e Beni Ambientali.

frase originale ↓	riformulazione partendo da un nuovo inizio ↓
Molti di voi hanno già ricevuto varie comunicazioni da parte di alcuni esponenti del nostro gruppo di attivismo nell'area della prevenzione dei rischi da fumo.	*Alcuni esponenti…*

Non vogliamo ulteriormente motivare le tante ragioni che ci spingono a sollecitare il varo di questa norma, ma, in vista di questa data, vogliamo sottolineare il fatto che milioni di italiani, fumatori e non, concordano sulla necessità e sull'urgenza di vedere approvata in tempi brevi una legge che estenda il divieto di fumare a tutti i locali aperti al pubblico e ai luoghi privati di lavoro senza la possibilità di deroghe derivanti dall'uso di aspiratori o dalla presenza di aree separate.

frase originale ↓	riformulazione partendo da un nuovo inizio ↓
Riteniamo che tali deroghe potrebbero comportare svantaggi a carico dei lavoratori che prestano servizio nelle aree per fumatori e dei gestori che, per vari motivi, non potranno adeguare i propri locali.	*I lavoratori…*

frase originale ↓	riformulazione partendo da un nuovo inizio ↓
Sappiamo che in ambito parlamentare c'è al momento sensibilità nei confronti di questo problema e quindi ci auguriamo vivamente che non si verifichino ulteriori rinvii per la soluzione di un problema definito prioritario dalla letteratura scientifica internazionale e dal nostro Piano Sanitario Nazionale.	*Ci auguriamo vivamente...*

4 *Lavora sul testo n° 2 dell'attività 1. Nella lettera ci sono due verbi al modo congiuntivo. Trovali e poi, con un compagno, spiega il perché in queste circostanze è stato usato questo modo verbale.*

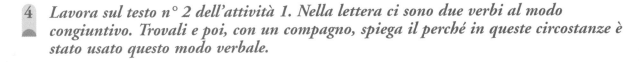

5 *Cosa vogliono dai senatori i militanti della lista Non Fumatori?*
Sottolinea nella lettera n° 2 dell'attività 1 il punto in cui è espressa la parte più importante della comunicazione e della richiesta.

• *Sei un giornalista. Continua e completa il breve articolo qui sotto per descrivere l'iniziativa dei militanti della lista Non Fumatori. In totale non deve essere più lungo di 50 parole.*

> *Alcuni militanti della Lista Non Fumatori hanno scritto un appello indirizzato ad un cartello di Senatori per chiedere che...*

6 *Inserisci nel testo le parole e le espressioni riportate nella colonna di destra.*

Circolare Ministeriale n. 362 Prot. N. 30885/BL - Gab/III	**in quanto**
Roma, 25 agosto 1998	**nella quale**
OGGETTO: Uso del telefono cellulare nelle scuole	
È stato segnalato a questa amministrazione che l'abitudine all'uso della telefonia cellulare si sta diffondendo anche nel mondo della scuola.	**premesso quanto sopra**
La questione è stata _____ oggetto di una interrogazione parlamentare _____ viene denunciato l'utilizzo del cosiddetto "telefonino" da parte dei docenti durante le ore di lezione.	**è chiaro che**
_____ tali comportamenti - _____ si verifichino - non possono essere consentiti _____ si traducono in una mancanza di rispetto nei confronti degli alunni e recano un obiettivo elemento di disturbo al corretto svolgimento delle ore di lezione che, per legge, devono essere dedicate esclusivamente all'attività di insegnamento e non possono essere utilizzate - _____ parzialmente - per attività personali dei docenti. _____ si invitano le SS.LL. a portare a conoscenza dei Capi delle istituzioni scolastiche il contenuto della presente circolare _____ ne informino il dipendente personale scolastico.	**affinché** **laddove** **peraltro**
IL MINISTRO	**sia pure**

Formalità

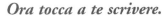

7 *Ora tocca a te scrivere.*
L'assemblea del condomino ha deciso che d'inverno i riscaldamenti verranno accesi solo dopo le otto di mattina. Questo perché nel tuo palazzo vive un'alta percentuale di pensionati, che non si alzano troppo presto.
Il gruppo di persone che lavora la mattina e alle 7 trova il bagno freddo ti incarica di scrivere una lettera all'amministratore e agli altri condomini per convincerli a cambiare la decisione presa.

8 *Riguarda il testo che hai scritto e cerca di migliorarlo. Controlla:*

- Sei stato abbastanza convincente?
- Hai espresso il concetto centrale in un modo e in una posizione rilevante nella lettera? (Riguarda l'attività 5)
- Hai scelto espressioni che esprimano in modo abbastanza elegante e preciso la tua idea? (Riguarda l'attività 1 e l'attività 6)
- Le forme dei verbi sono corrette? (Riguarda l'attività 4)

Lavora da solo e poi fatti aiutare da un compagno. Alla fine, quando sei soddisfatto, ricopia la lettera in bella copia.

Letteratura

livello 4

1 *L'inizio di un racconto è illustrato da questi disegni.*
Scrivi l'inizio della storia usando da un minimo di 80 ad un massimo di 120 parole.

2 *Rimetti nel giusto ordine le frasi che compongono l'inizio originale del racconto. Poi riscrivilo nello spazio sotto.*

	"Oggi niente ufficio e niente computer - dissi alla mia immagine allo specchio mentre mi facevo la barba -, mi vado a fare una bella passeggiata nel bosco".
	e decisi di prendermi una giornata di pausa.
	La prima cosa che vidi, aprendo gli occhi, fu un magnifico cielo limpido.
	Camminai a lungo tra i raggi del sole che penetravano dalle cime degli alberi, guardando con attenzione ciò che mi circondava e vivendo con avidità le sensazioni.
1	Mi svegliai, una mattina, nella mia camera da letto, davanti alla finestra aperta.
	Benedissi il giorno in cui avevo deciso di andare a vivere in campagna

3 *Confronta il testo ricostruito nell'attività 2 con l'originale qui sotto.*

Mi svegliai, una mattina, nella mia camera da letto, davanti alla finestra aperta. La prima cosa che vidi, aprendo gli occhi, fu un magnifico cielo limpido. Benedissi il giorno in cui avevo deciso di andare a vivere in campagna e decisi di prendermi una giornata di pausa. "Oggi niente ufficio e niente computer - dissi alla mia immagine allo specchio mentre mi facevo la barba -, mi vado a fare una bella passeggiata nel bosco". Camminai a lungo tra i raggi del sole che penetravano dalle cime degli alberi, guardando con attenzione ciò che mi circondava e vivendo con avidità le sensazioni.

• *Lavora con un compagno. Prendete i testi che avete scritto per l'attività 1, confrontateli con l'inizio originale del racconto e individuate le principali differenze.*

4 *Ora leggi la prima parte del racconto. Svolgi i lavori che seguono e alla fine confronta i risultati con un compagno.*

Il carro

1   Mi svegliai, una mattina, nella mia camera da letto, davanti alla finestra aperta. La prima cosa che vidi, aprendo gli occhi, fu un magnifico cielo limpido. Benedissi il giorno in cui avevo deciso di andare a vivere in campagna e decisi di prendermi una giornata di pausa. "Oggi niente ufficio e niente computer - dissi alla mia immagine allo specchio mentre mi
5   facevo la barba -, mi vado a fare una bella passeggiata nel bosco". Camminai a lungo tra i raggi del sole che penetravano dalle cime degli alberi, guardando con attenzione ciò che mi circondava e vivendo con avidità le sensazioni. Non so quanto tempo passò, che decisi di tornare. Ma fu proprio sulla via del ritorno che tra i cespugli, lontano, su una stradina laterale, scorsi un carro trainato da un cavallo; un carro che lasciava un rumore sinistro al
10   suo passaggio perché le sue ruote erano di legno e i suoi ingranaggi avrebbero avuto bisogno di olio per non cigolare. Attratto, anche se un po' intimorito, lo seguii tra i cespugli, e quando si fu fermato mi avvicinai cercando di vedere se c'era qualcuno a cui rivolgermi. Ero ormai arrivato all'altezza di una ruota posteriore quando improvvisamente sentii una voce nasale salutarmi da dietro: "Buongiorno." Mi girai ma niente, dietro di me non c'era
15   nessuno. Subito dopo di nuovo: "Buongiorno." Mi voltai repentinamente ma ancora non riuscii a scorgere nessuno. Indispettito e per nulla divertito mi misi con le spalle alla grande ruota e dissi con voce grossa: "Insomma, a che gioco stiamo giocando?" Per qualche secondo non sentii altro che il fruscio degli alberi, poi da dentro il carro mi parve di udire delle persone che dialogavano tra loro, prima sommessamente; poi, dopo un po', senza più
20   curarsi della mia presenza. La prima voce che sentii era quella spaurita di una fanciulla: "Mio dio, poveri noi, facciamo in modo che questo intruso non s'immischi nei nostri affari. Potrebbe essere un esattore delle imposte, un messo del Re giunto fin qui per ispezionare sulla nostra attività abusiva..., potrebbe... non so..." "Insomma basta! - la interruppe un vocione - C'è ben poco da parlare! Se quest'uomo è venuto per ficcanasare nelle nostre cose
25   sarà semplice staccargli la testa dal collo come abbiamo fatto con gli altri."

(estratto da: "Il carro" di Carlo Guastalla)

• *Qual è il tempo base del racconto?* _____

• *Che genere di racconto è "Il carro"?*

  ❏ di fantascienza – ❏ giallo – ❏ comico – ❏ per ragazzi – ❏ drammatico

• *Trova nel testo almeno tre passaggi che hanno influenzato la tua risposta all'ultima domanda.*

• *Alla riga 12 viene usata la forma verbale "si fu fermato". Che tempo è e perché viene usato qui?*

  _____

5 *Quali personaggi sono presenti nella prima parte del racconto? Descrivili nella prima colonna dello schema ispirandoti al testo ma anche usando la fantasia. Nella seconda colonna scrivi il nome che, come autore, daresti ad ogni personaggio.*

6 *Ora continua e completa il racconto "Il carro".*

7 *Quando hai finito di scrivere il racconto riguarda il testo che hai scritto e cerca di migliorarlo. Controlla:*

• Hai scelto tempi verbali coerenti con l'inizio del racconto? (Riguarda le attività del punto 4).

• Sei stato coerente con il genere della prima parte del racconto? (Riguarda le attività del punto 4).

• Hai trovato un finale adeguato al resto del racconto?

Lavora da solo e poi fatti aiutare da un compagno. Alla fine, quando sei soddisfatto, ricopia il racconto in bella copia.

Gioco 1-Ricostruzione di testo

(le istruzioni per l'insegnante sono a pag. 115)

1 *Gioco a squadre.*
- *Scegliete, tra i 10 paragrafi della prossima pagina, i 5 che compongono il testo dell'articolo di cronaca del vostro gruppo.*
- *Scrivete quindi nel giusto ordine i numeri corrispondenti ai paragrafi negli spazi sotto al vostro titolo.*

GRUPPO A

Trasporti: grandi difficoltà per gli utenti dei mezzi pubblici

"A Roma non si trovano le tessere"

Nei tabacchi e nelle edicole non si trovano quasi mai!

Ordine dei pezzi articolo A: | | | | |

GRUPPO B

È la quota del riscatto chiesta da un ladro: bloccato dai Cc

Rivuoi lo scooter? Dammi 500 euro

L'episodio è avvenuto nella giornata di ieri al Gianicolense

Ordine dei pezzi articolo B: | | | | |

1	Tutto ciò è intollerabile, perché di fatto si costringe il cittadino o ad usare il proprio mezzo, a tutto svantaggio quindi del trasporto pubblico, o a sostenere una spesa ben maggiore di quella che con l'abbonamento mensile invece si sosterrebbe".
2	"Il Partito dei Comunisti Italiani di Roma - conclude Alessio D'Amato - si dichiara contrario all'aumento dei biglietti senza migliorare il servizio e su questo fronte farà un'opera di vera e propria controinformazione, creando un apposito osservatorio, che raccoglierà le denunce, le proteste e le lamentele della cittadinanza (c'è un numero telefonico a questo scopo: 06/77591370), che dal 1° novembre scorso paga 1 euro il biglietto dei mezzi pubblici, a fronte di una qualità del servizio che purtroppo ancora oggi lascia a desiderare".
3	L'uomo aveva adocchiato lo scooter del suo vicino di casa e senza pensarci su due volte, durante la notte, glielo ha rubato. La vittima, il giorno seguente, si è rivolta ai carabinieri per denunciare il furto ma da subito ha cominciato a non vederci chiaro.
4	Avrò chiesto ad una ventina di rivenditori ufficiali, tra tabaccai ed edicole, e per tutta risposta ho avuto sempre la stessa identica considerazione: questo mese ce ne hanno consegnate poche.
5	Infatti dopo qualche giorno, il proprietario è stato avvicinato dal sedicente coinquilino che con la scusa di essere dispiaciuto del furto, gli ha detto di conoscere persone che potevano fargli riavere il mezzo alla cifra di 500 €.
6	Il proprietario, preoccupato, si è di nuovo rivolto ai carabinieri della Stazione Gianicolense raccontando loro quello che gli era accaduto. I militari, in accordo con la vittima, hanno organizzato un incontro con i "presunti" estorsori nel corso del quale la vittima avrebbe dovuto consegnare la somma richiesta.
7	Un riscatto di 500 euro per rientrare in possesso del suo scooter. È questa la somma che un signore di 45 anni avrebbe dovuto pagare ad un ladro responsabile del furto. A bloccare il cosiddetto "cavallo di ritorno" ci hanno pensato i carabinieri della Stazione Roma Gianicolense che hanno fermato F.S., 33enne, romano, vicino di casa della stessa vittima, con l'accusa di tentata estorsione.
8	Parafrasando una celebre frase si potrebbe dire che *a pensar male si fa peccato ma ci si azzecca sempre"*. È quanto afferma Alessio D'Amato, segretario del Partito dei Comunisti Italiani di Roma. "È dal 30 ottobre scorso - sottolinea Italo Arcuri, sempre della segreteria romana del Partito - che invano cerco di acquistare una tessera di abbonamento mensile.
9	All'appuntamento, fissato in zona Monteverde Vecchio, con l'uomo c'erano anche i carabinieri, ma nessuno si è presentato per riscuotere la somma. I militari, hanno però proseguito le indagini e ieri hanno bloccato il vicino di casa del derubato, vecchia conoscenza delle forze dell'ordine, contestandogli il reato di tentata estorsione. A seguito del fermo, il pregiudicato si trova ora presso il carcere di Regina Coeli a disposizione dell'A.G. capitolina.
10	"Si parla tanto di invogliare e di educare i cittadini all'uso del trasporto pubblico e poi si finisce con l'obbligare i cittadini stessi a usare la propria automobile, perché a esempio la scorta degli abbonamenti mensili della rete di trasporto pubblico romana, dai rivenditori autorizzati, risulta esaurita già da diversi giorni.

Gioco 2-Cinque domande

(le istruzioni per l'insegnante sono a pag.116)

1 *Tira un dado quattro volte e associa ogni numero che esce ad una delle quattro voci qui sotto: CHI, CHE COSA, DOVE, QUANDO. Inventa un "PERCHÉ" e scrivi un articolo di cronaca con gli elementi estratti.*

CHI

1. un tassista	2. due bambini	3. una vecchietta col suo cane	4. il capo della polizia	5. un barbone	6. Roberto Benigni

CHE COSA

1. un furto	2. un incidente	3. una protesta	4. sventano (sventa) una rapina	5. una truffa	6. hanno (ha) vinto alla lotteria

DOVE

1. al mercato	2. allo stadio	3. per strada	4. alla fermata dell'autobus	5. ai giardini pubblici	6. sulla spiaggia di Riccione

QUANDO

1. ieri mattina alle otto	2. ieri all'ora di pranzo	3. ieri pomeriggio	4. ieri sera	5. ieri a mezzanotte	6. alle due di questa notte

PERCHÉ

1. ?	2. ?	3. ?	4. ?	5. ?	6. ?

2 *Scrivi i nomi dei tuoi compagni. Leggi il tuo articolo ed ascolta quello scritto dagli altri. Scrivi le risposte alle cinque domande per ciascun articolo che ascolti. Vince il gioco chi dà più risposte giuste.*

Nome studente	Chi?	Che cosa?	Dove?	Quando?	Perché?
1. _____					
2. _____					
3. _____					
4. _____					
5. _____					
6. _____					
7. _____					
8. _____					
9. _____					
10. _____					

Gioco 3-Indovinello

(le istruzioni per l'insegnante sono a pag.116)

1 *Inserisci una lettera in una parola per trovarne un'altra che abbia un significato differente. Ad esempio metti una "i" nella parola "ricco" ed ottieni "riccio".*

ricco ➔ riccio

2 *Definisci le due parole.*

Cos'è un "ricco"? Una persona che ha molti soldi.
Cos'è un "riccio"? Un frutto di mare.

3 *Ecco creato un indovinello da proporre alla classe:*

Chi ha tanti soldi vuoi trovare?
Togli una I ad un frutto di mare.

4 *Usa le coppie di parole qui a fianco per creare degli indovinelli con la tecnica descritta sopra.*

pineta	pianeta
fili	figli
mare	madre
pera	perla
lago	largo
grata	gratta

Altre tecniche

• *Puoi trovare una parola e un'altra solo aggiungendo la prima lettera, come "onda" e "sonda". Guarda l'esempio e le parole qui a fianco ed esercitati nel creare indovinelli.*

La fa il mare col vento, è morbida come un'opera d'arte. (= onda)
Ma se aggiungi una S all'inizio: è di ferro, e vola su Marte. (= sonda)

lima	clima
ossessivo	possessivo
esiste	resiste
orrida	corrida
nemico	anemico
oca	poca

• *Puoi trovare una parola e un'altra cambiando una lettera in una parola, come "amata" e "alata". Guarda l'esempio e le parole qui a fianco ed esercitati nel creare indovinelli del tipo "che differenza c'è…?".*

Che differenza c'è tra una donna e un'aquila?
(Risposta: la donna è amata, l'aquila è alata)

suola	suora
marte	morte
corto	cotto
lento	lesto
vola	cola
spira	spera

Gioco 4 - Lipogramma

(le istruzioni per l'insegnante sono a pag.117)

1 *Prendi un testo qualsiasi, uno scritto da te o un testo presente in questo libro.*

2 *Il tuo lavoro è riscrivere il testo evitando di utilizzare una lettera dell'alfabeto ma cercando di mantenere il più possibile tutti i significati dell'originale. Guarda l'esempio:*

TESTO ORIGINALE

Mi svegliai, una mattina, nella mia camera da letto, davanti alla finestra aperta. La prima cosa che vidi, aprendo gli occhi, fu un magnifico cielo limpido. Benedissi il giorno in cui avevo deciso di andare a vivere in campagna e decisi di prendermi una giornata di pausa. "Oggi niente ufficio e niente computer - dissi alla mia immagine allo specchio mentre mi facevo la barba -, mi vado a fare una bella passeggiata nel bosco". Camminai a lungo tra i raggi del sole che penetravano dalle cime degli alberi, guardando con attenzione ciò che mi circondava e vivendo con avidità le sensazioni.

LIPOGRAMMA IN "E"

Mi alzai, una mattina, dal giaciglio in cui dormo, con lo sguardo indirizzato fuori. Con gli occhi ancora socchiusi vidi subito una magnifica giornata limpida. Ringraziai il giorno in cui andai in campagna a starci non un giorno ma tutti i giorni. Così stabilii: oggi non si lavora! "Oggi non vado in ufficio davanti all'odiato monitor" dissi alla mia figura. Intanto mi tagliavo la barba. "Sì, oggi faccio un giro tra i tronchi, i fusti, i rovi, i prati qui in campagna". Camminai a lungo. Il bosco ospitava i raggi solari tra i rami, io guardavo il tutto, ogni cosa mi circondava. Con avidità mi impadronivo di tutto l'incanto a cui dava vita il bosco.

Gioco 5-Parole inventate

1 *Ogni studente inventa una parola che non esiste in italiano ma che potrebbe (per suono o grafia) essere una parola italiana (ad esempio la parola "precco" non esiste anche se come suono o grafia potrebbe essere una parola italiana). L'insegnante scrive alla lavagna tutte le parole. Poi chiede agli studenti di attribuire ad ogni parola un significato, come fosse una traduzione. Le parole devono essere preferibilmente dei sostantivi.*

2 *Ora a gruppi gli studenti scrivono un storia, una favola o un racconto che contenga le parole scritte alla lavagna nella "traduzione" italiana.*

3 *Una volta completata la storia ogni gruppo deve tradurre con parole inventate altre dieci parole italiane.*

4 *Dopo aver riscritto il testo con le parole inventate, il gruppo scrive anche, sotto al testo, la lista delle 10 parole inventate.*

5 *Ogni testo passa ad un altro gruppo. Il compito è quello di leggere e cercare di ritradurre in italiano le parole inventate.*

6 *Vince il gruppo che riesce a tradurre in modo corretto più parole.*

Istruzioni per l'insegnante

Istruzioni per l'insegnante

Attività 6 - Gioco "Chi lo ha scritto?"

Ogni studente copia la propria breve presentazione dell'attività 5 su una striscia di carta fornita dall'insegnante (si può tagliare in 5 o 6 parti un foglio A4). Ogni striscia deve essere numerata, come nell'esempio qui sotto, ma la distribuzione deve essere effettuata in modo casuale, non in ordine. L'insegnante ritira gli scritti, li mescola e li ridistribuisce.

Ogni studente riceverà così una descrizione di un compagno. Il suo compito è di immaginarne l'autore, quindi scrivere nella tabella il numero della descrizione e il nome di chi, secondo lui, l'ha scritta. Quindi passa il foglio ad un altro studente e ne riceve uno nuovo, fino ad abbinare tutti i fogli a tutti gli studenti.

Vince il gioco chi trova più abbinamenti giusti.

Esempio:

3

Unità 7 - Chi è?

Attività 5 - Gioco "Chi è?"

Ogni studente deve avere il libro aperto alla pagina con le immagini e i nomi delle persone ritratte in fotografia (pag. 36).

A turno, ogni studente legge (a voce alta, in modo che tutti possano sentire) la descrizione della persona che ha scelto. Quando ha finito, gli altri studenti scrivono sul libro, sotto la foto che loro pensano sia stata appena descritta, il nome dello studente autore della descrizione.

Vince chi riesce a fare più abbinamenti giusti.

PS - In un momento successivo il gioco si può ripetere utilizzando gli studenti stessi della classe, facendo scegliere ad ognuno un compagno da descrivere.

Unità 8 - Trama di un film

Attività 1

La trama del film "Il postino" è spezzata in sette parti. Ad ogni parte corrisponde una lettera, sulla sinistra. Una volta rimesso il testo nel giusto ordine, mettendo nella giusta sequenza le lettere corrispondenti ad ogni parte di testo, deve risultare il cognome del regista del film, che è **RADFORD**. La lettera **R** inserita nello spazio per scrivere il cognome è quindi un aiuto per gli

studenti: uno dei due spezzoni corrispondenti alle lettere **R** deve andare al penultimo posto. L'insegnante, per facilitare ulteriormente l'attività, può regalare altre lettere.

L'attività può anche venire utilizzata come gioco. La ricostruzione del testo viene condotta a squadre e ogni squadra ha diritto a chiedere all'insegnante la posizione di una lettera. L'insegnante dà segretamente ad ogni squadra l'aiuto, e il primo gruppo che corre alla lavagna e scrive il cognome corretto vince il gioco.

Unità 19 - Esposizione

Per l'insegnante:

"La posizione post-nominale dell'aggettivo è la posizione naturale degli aggettivi denotativi (quelli che permettono di restringere la classe degli oggetti identificati dal nome). Alcuni aggettivi sono intrinsecamente denotativi e non possono perciò assumere la posizione pre-nominale (es. nel testo dell'attività 4: *cardiocircolatoria, cronica*). Tra gli aggettivi intrinsecamente denotativi vi sono gli aggettivi relazionali, del tipo *polmonare, cittadino, geografico*. Questi aggettivi sono spesso derivati da un nome e si chiamano relazionali perché in genere esprimono la relazione con il nome da cui derivano (per esempio *polmonare* = "dei polmoni").

La posizione pre-nominale dà valore connotativi all'aggettivo: esprime una valutazione, non aiuta a identificare l'oggetto a cui si riferisce. Ad esempio, nelle due frasi:

Ultimamente ho letto pochi libri interessanti.

Ho letto un interessante articolo sul sintagma aggettivale.

Nel primo caso, *interessanti* restringe la classe dei possibili libri; nel secondo caso, *interessante* esprime un giudizio del parlante su un articolo altrimenti identificato.

Adattato da Marina Beltramo, *Attività di scrittura*, Paravia, 2000, p. 112

Gioco 1 - Ricostruzione di testo

Introduzione

Si tratta di un gioco di scrittura a due squadre (gruppo A e gruppo B).

L'obiettivo è di ricostruire in modo corretto e nel più breve tempo possibile il proprio articolo di cronaca.

Prima del gioco i due gruppi leggono con attenzione il titolo del proprio articolo, risolvendo problemi di comprensione anche con l'aiuto del dizionario.

Svolgimento

Nella seconda pagina sono presenti i capoversi mescolati dei due articoli. In totale sono 10.

Le due squadre devono scegliere i 5 paragrafi del proprio articolo e disporli nel giusto ordine scrivendo i numeri corrispondenti ai capoversi negli spazi sotto al titolo, nella prima pagina.

Conclusione

Quando una squadra pensa di aver finito chiama l'insegnante che verifica. Se la sequenza è giusta la squadra vince, se non è giusta si continua. L'insegnante non interviene mai ma decreta solo il vincitore.

Istruzioni per l'insegnante

Le giuste sequenze sono:

Ordine dei pezzi articolo A:	10	8	4	1	2
Ordine dei pezzi articolo B:	7	3	5	6	9

Varianti

Per rendere il gioco più complesso, in classi di livello avanzato, si può far coprire il titolo dell'articolo dell'altra squadra, in modo che sia più difficile discernere gli spezzoni dei due articoli. Un'altra variante consiste nel non dare i titoli e dare invece ad ogni squadra uno spezzone dell'articolo. Ad esempio: SQUADRA 1 - N° 5; SQUADRA 2 - N° 10.

Intorno a questo spezzone le due squadre devono ricostruire il proprio articolo scegliendo altri quattro pezzi tra gli otto rimasti ancora disponibili. Solo alla fine del gioco l'insegnante rivela i titoli.

Gioco 2 - Cinque domande

Fase di scrittura

È importante che la scelta del "chi, che cosa, dove, quando" sia casuale. Quindi per ognuna delle quattro voci ogni studente deve tirare il dado e segnare a cosa corrisponde il numero uscito.

Gli studenti non devono dire ai compagni cosa è loro capitato perché queste informazioni sono importanti per la seconda parte del gioco.

Una volta avute le informazioni e scelto un "perché", inizia la fase di scrittura.

Si consiglia di dare un tempo a tutti, ad esempio, 30 minuti.

Gioco

Per la seconda fase si utilizza il secondo foglio. Nella prima colonna ogni studente deve scrivere i nomi dei compagni, quindi a turno ognuno legge il proprio testo, mentre tutti gli altri studenti hanno il compito di scrivere nelle altre colonne quelle che pensano essere le "cinque domande" del testo che stanno ascoltando. Vince lo studente che riesce a scoprire più dati giusti.

Gioco 3 - Indovinello

Il gioco può essere fatto a squadre o individualmente. Ogni squadra deve trovare coppie di parole con le caratteristiche indicate (può decidere l'insegnante, o lasciare la scelta agli studenti), quindi creare un indovinello.

Conclusione

Dopo la fase di scrittura gli indovinelli vengono letti e la classe cerca di capire quali sono le due parole. Vince la squadra che riesce ad indovinarne di più. Gli indovinelli troppo criptici possono essere sottoposti al vaglio dell'insegnante da parte della squadra che deve indovinare, se sono reputati troppo difficili.

Varianti

Una variante per rendere il gioco meno difficile. L'insegnante distribuisce ad ogni squadra una coppia di parole. Il lavoro è creare l'indovinello e il gioco si svolge come descritto.

Oppure può dare solo la parola di sinistra e dare l'istruzione di trovare una nuova parola (aggiungendo una lettera) e di creare l'indovinello.

Qui sotto liste di parole che possono essere date agli studenti.

1 *(con aggiunta di una lettera)*		2 *(con aggiunta iniziale)*		3 *(con cambio di lettera)*	
urano	urbano	ottone	bottone	salate	salame
ferie	ferite	occhi	tocchi	belle	bolle
grane	grande	remo	tremo	uomo	uovo
cure	cuore	atto	matto	bocca	bacca
pedoni	perdoni	onda	tonda	tori	topi
pena	penna	asso	passo	golosa	gelosa
fato	fatto	ago	lago	immerso	immenso

Gioco 4 - Lipogramma

Il lipogramma è un'attività complessa, soprattutto se fatta cercando di eliminare una vocale. Si consiglia quindi di fare molta attenzione alla lettera scelta.

È anche consigliabile, ove possibile, far svolgere il lavoro a gruppi. Se si vuole giocare è preferibile che tutta la classe lavori facendo il lipogramma nella stessa lettera.

Si può inoltre dare un tempo massimo (ad esempio 30 minuti) e alla fine ritirare i testi e far verificare in modo incrociato ai vari gruppi quante volte è stata inavvertitamente usata la lettera "vietata" e far problematizzare tutti quei passaggi che secondo chi analizza il lavoro non esprimono un significato abbastanza vicino all'originale. Il gruppo degli autori può difendere le proprie scelte ma alla fine l'intera classe vota le "contestazioni".

Creando un sistema di punteggi (ad esempio 5 punti per la lettera usata inavvertitamente e 3 punti per un significato espresso male) basterà fare la somma e far risultare vincitrice la squadra che ha totalizzato il punteggio più basso.

Soluzioni

1. Presentazioni
Attività 4 -

verbo	persona	infinito del verbo
piace	3ª pers. sing.	piacere
è	3ª pers. sing.	essere
vado	1ª pers. sing.	andare
resto	1ª pers. sing.	restare
amo	1ª pers. sing.	amare
preferisco	1ª pers. sing.	preferire
è	3ª pers. sing.	essere
Amo	1ª pers. sing.	amare

verbo	soggetto	persona	infinito del verbo
piace	**il teatro e il cinema**	3ª persona singolare	piacere

2. Cartolina
Attività 2 -

espressioni di tempo	espressioni di luogo
Finalmente - Oggi - Domani - domenica - A presto - ieri - sempre - per poco tempo - Domani - sabato - prima o poi	a Roma - allo stadio - a Roma - qui - a Madrid - da qualche parte - in Italia - nel mondo

Attività 3 -

Attività 4 - Vedi i testi dell'attività 1.

3. La stanza di...
Attività 2 - 1. comodino; 2. letto; 3. armadio; 4. poster; 5. mobile basso.

Attività 4 - 1. accanto al letto; 2. davanti al letto; 3. al centro del letto; 4. alla sinistra del letto.

Attività 5 - Vedi il testo dell'attività 1.

4. Slogan
Attività 3 - 1. Questa è una campagna di Pubblicità Progresso. **2.** Come le precedenti anche questa non è a favore di prodotti, ma delle idee, delle persone, dell'ambiente. Il suo obbiettivo è la presa di coscienza collettiva. **3.** Perché i problemi sono di tutti. **4.** Come sono problemi di tutti quelli che nascono dall'intolleranza, dall'arbitrio, dalla violenza. **5.** Il riscatto a livello individuale e sociale sta nel dialogo perché è proprio nel dialogo (cioè nel rispetto) che molte delle contraddizioni private e pubbliche possono più facilmente sciogliersi.

Attività 4 -

comprensione generale, di tutti	presa di coscienza collettiva
per aiutare	a favore di
finire, annullarsi	sciogliersi
prepotenza, arroganza	arbitrio
fatte in passato, prima di questa	precedenti
liberazione, rivincita	riscatto

Attività 5 - La scritta si riferisce al disegno numero 3.

5. La strada per...
Attività 2 -
Una volta **scesi** dall'aereo **dirigetevi** alla Stazione Ferroviaria. **Fate** il biglietto dal tabaccaio o ad un distributore automatico e **prendete** un treno per la Stazione Termini. Ne passa uno ogni ora. **Arrivati** alla Stazione Termini **andate** verso l'uscita principale e **cercate** il capolinea dell'autobus H. **Prendete** l'autobus H, **superate** il Tevere e **scendete** dopo il Ponte Garibaldi (fermata Piazza Belli). **Costeggiate** il fiume in direzione nord fino ad una piazza che si chiama Piazza Trilussa e che è situata di fronte a Ponte Sisto. **Uscite** dalla piazza prendendo la secon-

da a sinistra. **Proseguite** dritti fino a trovare sulla vostra destra un arco. Questo è l'arco di Porta Settimiana. **Passateci** sotto e **seguite** Via della Lungara fino a Palazzo Corsini.

imperativo plurale	participio passato
dirigetevi - Fate - prendete - andate - cercate - Prendete - superate - scendete - Costeggiate - Uscite - Proseguite - Passateci - seguite	scesi - Arrivati

• Il participio passato qui è utilizzato per indicare che l'azione espressa dal verbo deve essere conclusa per poter iniziare l'azione successiva. Nella prima frase, "Una volta **scesi** dall'aereo", indica che l'azione di scendere è finita e che l'azione di dirigersi alla stazione deve essere svolta successivamente; nella seconda frase, "**Arrivati** alla Stazione Termini", il participio passato indica che l'azione di arrivare deve essere conclusa nel momento in cui si inizia ad andare verso l'uscita principale.

Attività 3 -

(dirigetevi) alla - per - in direzione - fino ad - fino a - fino a	(Arrivati) alla	dall' - dalla

Attività 4 -
DAL CENTRO-SUD ITALIA: Giunti **a** Bologna, prendere la A13 **in direzione** Padova ed uscire **a** Rovigo. Seguire le indicazioni **per** Adria e **per** il DELTA DEL PO. **DAL NORD ITALIA:** Dalla A4 Milano Venezia, uscire **a** Verona e percorrere la *Transpolesana* **fino a** Rovigo. Seguite le indicazioni **per** Adria e **per** il DELTA DEL PO. **DA VENEZIA** (Circa 50 Km.): percorrete la SS 309 *Romea* **in direzione** Ravenna. Dopo l'Adige, troverete la prima località balneare del DELTA DEL PO: Rosolina Mare. **DA RAVENNA** (Circa 60 Km): percorrete la SS 309 *Romea* **in direzione** Venezia.

6. Istruzioni per l'uso
Attività 1 - Vedi il testo dell'attività 2.

Attività 2 - 1. 3 litri e mezzo. 2. 35 grammi. 3. Attendere che l'acqua torni a bollire. 4. Quanto è scritto sulla confezione della pasta. 5. Imperativo.

Attività 3 -
1. **Prendete** una pentola larga e capiente.
2. **Dosate** l'acqua nella proporzione di 1 litro per ogni 100 grammi di pasta.
3. **Mettete** l'acqua sul fuoco.
4. Quando l'acqua bolle **aggiungete** sale grosso marino nella misura di 10 grammi per ogni litro d'acqua.
5. Prima di versare la pasta, dopo aver aggiunto il sale, **attendete** che l'acqua torni a bollire nuovamente.
6. **Immergete** la pasta completamente nell'acqua e **mescolatela** ogni tanto con un cucchiaio di legno.
7. **Cuocete** la pasta a pentola scoperta e su fuoco vivace.
8. **Seguite** le indicazioni precedenti, i tempi di cottura della pasta sono quelli riportati in etichetta dal produttore.
9. Quando la pasta è al giusto punto di cottura **versate** un bicchiere di acqua fredda nella pentola per fermare la cottura.
10. **Scolate** la pasta, **aggiungete** il condimento e buon appetito!

Attività 4 - 3. l'infinito.

7. Chi è?
Attività 1 - 1. Cristina; 2. Antonio B.; 3. Pier Paolo; 4. Cristian.

Attività 2 - Le risposte non sono oggettive.

Attività 3 - Le soluzioni sono i quattro testi dell'attività 1.

8. Trama di un film
Attività 1 -
R - Durante il suo esilio in un'isola italiana del Mediterraneo, il grande poeta cileno Pablo Neruda incontra Mario, figlio di pescatori e postino dell'isola.

A - Neruda fa conoscere al ragazzo la poesia, gli insegna ad amarla, e Mario impara perfino a crearla, anche ispirato dalla bellezza della bella Beatrice.

D - Neruda parla a Mario anche della sua passione per l'ideale comunista senza però mai riuscire ad interessare veramente il postino a questo argomento.

F - Quando Neruda parte, per Mario riprende la vita quotidiana. A volte, per colmare il vuoto, ritorna nella casa del poeta dove sono rimasti dei suoi oggetti.

O - Un giorno arriva una lettera dal Cile scritta dalla segretaria del poeta, con l'indirizzo a cui spedire le cose rimaste.

R - Mario ha la netta sensazione che Neruda si sia dimenticato di lui.

D - Decide allora di compiere un gesto poetico che possa riportare nella memoria del poeta lontano le voci, i rumori e la magica atmosfera dell'isola…

• Il regista de "Il postino" è: Michael RADFORD.

Attività 2 - 1. Le fate ignoranti; 2. Pane e tulipani; 3. Johnny Stecchino.

Attività 3 - 1. Il Presente Indicativo. 2. Generalmente nel finale di una trama si introduce un evento che cambia la situazione che si è appena raccontata e che crea attese e aspettative. Per rendere ancora più forti questi sentimenti si utilizza il tempo futuro. 3. NO. Perché la trama racconta solo i fatti senza commentarli. 4. NO. Perché l'obiettivo di una trama è creare il desiderio di vedere un film. È bene non rivelare troppe cose e non accennare nemmeno ai contenuti del finale.

Attività 4 -

Carlo e Giulia ¹sono una coppia di trentenni circondati da un gruppo variopinto di familiari ed amici in crisi: i genitori di lei che non ²sono più felici, una coppia di amici con figlioletto che ³stanno per separarsi, un amico nostalgico del *reggae*, un altro che non ⁴riesce a scordare la fidanzata che lo ha lasciato. Carlo e Giulia ⁵sembrano l'unica coppia felice della vicenda. Fino al giorno in cui Carlo ⁶conosce una giovanissima ragazza che

⁷incarna per lui quella spensieratezza che Giulia, incinta da tre mesi, ⁸sembra non rappresentare più. Il tradimento, prima ancora di essere consumato, ⁹è scoperto da Giulia che ¹⁰mette in discussione tutte le certezze che li avevano uniti…

9. Articolo di cronaca

Attività 2 - Verbi al **Passato Prossimo**; verbi all'*Imperfetto*:

Non **hanno trovato** nulla di valore da rubare i ladri che nella notte tra mercoledì 23 e giovedì 24 gennaio **sono penetrati** negli uffici amministrativi della casa di riposo di Monticello, se non un orologio del 1800. Per entrare nella struttura che ospita gli anziani, i malviventi **hanno forzato** un lucchetto che *chiudeva* un corridoio in via di ristrutturazione. Da qui **sono passati** negli uffici e nello studio del direttore. Una volta dentro la stanza **hanno aperto** una cassaforte che però non *custodiva* nulla, se non pochi soldi, una moneta da una lira del 1950 e una banconota dello stesso valore. Anche i cassetti della scrivania e gli altri mobili non *contenevano* nulla di valore. Prima di andarsene i "soliti ignoti" **hanno preso** una sveglia da tavolo raffigurante una donna del XIX secolo. "*Era* una sorta di simbolo per la casa di riposo - **ha raccontato** il direttore - perché quella sveglia **è stata** nello stesso posto per 50 anni a segnare il trascorrere del tempo".

a. Vuole esprimere un'azione che si è svolta in un momento del passato ben delimitato.
b. Vuole descrivere una situazione del passato non delimitata nel tempo.

Attività 3 -

1. Chi è il protagonista della storia? **I ladri.**
2. Che cosa è successo? **Sono penetrati negli uffici di una casa di riposo, ma non hanno trovato nulla di valore da rubare.**
3. Dove è successo? **Nella casa di riposo di Monticello.**
4. Quando è successo? **Nella notte tra mercoledì 23 e giovedì 24 gennaio.**
5. Perché è successo? **Perché nella cassaforte non c'era niente di valore.**

Attività 4 - La soluzione è il testo dell'attività 1.

10. Pubblicità

Attività 1 - La risposta è soggettiva. Come si vedrà dalle attività successive il prodotto è la regione Sicilia.

Attività 2 - Sicilia.

Attività 4 - *Caratteristiche:* mare, isole minori, arte dietro ogni angolo, montagna, cucina, terme, sole, ospitalità. *A chi si rivolge questa pubblicità:* a turisti.
• Le risposte alle domande sullo slogan "Sicilia, tutto il resto è in ombra" sono soggettive.

11. Statistiche

Attività 1 - crede negli angeli: **60%**; è sicuro di avere un proprio angelo custode: **46%**; ha avuto esperienze mistiche: **66%**; ritiene la religione importante: **90%**; prega ogni giorno: **72%**.

Attività 3 - Vedi il testo dell'attività 1.

12. Che testo è?

Attività 2 - Le risposte sono soggettive.

Attività 3 - Le risposte sono soggettive.

Attività 5 - 1. Bottino ingente - 50mila euro - per il malvivente che questa mattina alle 9.30 ha fatto irruzione al Credito Bergamasco di via San Rocco a Vertova. **2.** Nel locale era presente una sola cliente. **3.** L'uomo, che era disarmato e indossava un passamontagna, ha urlato «datemi i soldi»: **4.** dopo aver aggirato il bancone, usando dei guanti per non lasciare impronte, **5.** ha aperto da solo la cassa prelevando appunto 50mila euro in contanti. **6.** Il bandito è poi uscito dalla banca fuggendo con una Fiat Uno di colore nero, rubata ieri ad Ardesio. **7.** I carabinieri di Fiorano si stanno occupando delle indagini e hanno organizzato posti di blocco nella zona, purtroppo senza esito.

Attività 6 -
Cara mamma,
stamattina mi [1]è successa una cosa terribile. Proprio mentre [2]stavo facendo/facevo un bonifi-co in banca [3]è entrato un rapinatore e [4]ha rubato 50 mila euro. [5]Mi sono presa uno spavento tremendo, e ancora adesso non [6]mi sono ripresa del tutto.
Come ti [7]ho scritto, [8]stavo allo sportello. [9]Ero anche contenta perché quando [10]sono entrata non ho visto nessuno ed infatti quando tutto è successo [11]ero l'unica cliente della banca. Improvvisamente [12]ho sentito un uomo urlare: "datemi i soldi!". [13]Mi sono girata e ho visto questo delinquente   col passamontagna. [14]Sembrava un pazzo, [15]è passato dietro al bancone, ha aperto la cassa, ha preso i soldi e poi [16]è scappato. Io [17]mi sono sentita morire. [18]Mi sono accasciata a terra e [19]sono rimasta lì fino all'arrivo della polizia. Se ci penso mi [20]vengono ancora le lacrime. [21]Hanno detto che non [22]era nemmeno armato, ma io non lo [23]sapevo, e comunque [24]avrei avuto paura anche se l'avessi saputo. Un bacio. Non stare in pensiero, [25]sto bene.
Carla

13. Biografia

Attività 2 - il; gli; nel; Indicativo presente.
Espressioni di tempo presenti nel testo: il 10 maggio 1931 - Da giovane - Dalla metà degli anni '50 - A partire dagli anni '60 - Nel 1964 - Negli anni successivi - Dopo - Nel 1977 - Successivamente - attualmente.

Attività 3 - Lorenzo Cherubini è un cantante.

Attività 4 - *La prima frase:* "Lorenzo 1994 è accompagnato anche dal suo secondo libro: «Cherubini»." *va tra la riga 10 e la riga 11. La seconda frase:* "Il suo terzo libro, diario degli ultimi viaggi, testimonia la ormai avvenuta maturazione di Lorenzo e si intitola «Il grande boh»." *va tra la riga 16 e la riga 17. La terza frase:* "Il '94 è un anno importante, grazie anche alla creazione dell'etichetta discografica «Soleluna»." *va alla riga 9, dopo* "Sud America.". *L'ultima frase:* "Di questo periodo è anche «Yo, brothers and sisters», la prima fatica «letteraria» del ragazzone più festaiolo d'Italia." *va prima dell'inizio, alla riga 1.*

NB: *Le soluzioni di questo esercizio possono essere differenti da quelle esposte, che sono quelle originali. In alcuni casi infatti gli elementi per valutare l'effettiva collocazione di una frase sono insufficienti a risolvere il compito in modo univoco.*

Attività 5 -

anno	fatti personali	canzoni	album	libri	tournée	film
1989	DJ a Radio Deejey e a Deejey-TV	La mia moto	- La mia moto - Jovanotti Special	Yo, brothers and sisters		
1990			Giovani Jovanotti			
1992			Lorenzo 1992			
1994		- Penso positivo - Serenata Rap - Piove	Lorenzo 1994	Cherubini	Italia ed Europa con Daniele e Ramazzotti	
1995		L'ombelico del mondo	Lorenzo 1990-1995			
1997	mostra al Brescia Museum Art		L'albero	Il grande Boh		I giardini dell'Eden
1999		- Per te - Il mio nome è mai più	Capo Horn			
2000		Cancella il debito				
2002		Il quinto mondo	Il quinto mondo			

Attività 8 -

Stefano Accorsi **nasce** a Bologna il 2 marzo 1971.
Termi**nato** il liceo scientifico nel 1990, nel '91 rispond**e** ad un annuncio pubblicato su **un** quotidiano dal regista Pupi Avati in cerca **di a**ttori per un suo film e, dopo pochi incontri, **viene** scelto per "Fratelli e sorelle", girato negli Stati Uniti, **con il** quale vincerà l'Oscar dei giovani come miglior attore esordiente. Nel 1993 finisce **gli** studi alla Scuola di Teatro di Bologna. Diventa famoso **nel** 1995 per **lo** spot pub**b**licitario del gelato Maxibon gira**to** con la regia di Daniele Luchetti. L'anno successivo interp**reta** il ruolo di Alex, il protagonista **di** "Jack Frusciante è uscito dal gruppo", film tratt**o dall**'omonimo libro di Enrico Brizzi, manifesto della **sua** generazione. Del 1997 è la partecip**azi**one al Festival di Venezia con "Piccoli Maestri" **di** Daniele Luchetti. Il '98 è un anno **ricco** di impe**gni**: giunge anc**he** la **no**torietà con il pluripremiato "Radiofreccia" di Luciano Ligabue. **Nel** 2001 nelle sale Accorsi **è** present**e** con tre film di successo: "La stanza del figlio" di Nanni Moretti, "Le fate ignoranti" di Ozpetec, ma soprat**tutto** è **in** "L'ultimo bacio" di Gabriele Muccino. **Qui** Accorsi interpreta u**n** personaggio simbolo della sua generazione: quel Giulio **che al** momento del matrimonio e della paternità si rifugia **tra** le braccia di una diciottenne col**to** dal desiderio di una per**enne** adolescen**za**.
Dopo altri film di successo di pubblico e di critica, la con**sacra**zione definitiva è arriv**ata** per Stefano Accorsi **all**a Mostra di Arte Cinematografica di Venezia del 2003, durante **la** quale è stato membr**o** della giur**ia** internazionale.
È fidanza**to** con Giovanna Mezzogiorno, su**a** compagna anche **nel** film di M**uccin**o.

14. Ricetta

Attività 1 - 1. cipolle; 2. limone; 3. formaggio; 4. pepe; 5. pomodori; 6. acqua; 7. menta; 8. melanzane; 9. aglio; 10. pancetta; 11. olio; 12. sale; 13. carciofi; 14. zucchine; 15. prezzemolo.

Attività 3 - otto carciofi; acqua fredda; succo di limone; prezzemolo; menta; due spicchi d'aglio; sale; pepe; mezzo bicchiere di olio.

Attività 4 - _Avverbi di modo:_ accuratamente; finemente; bene; uniformemente; singolarmente; completamente; lentamente. _Avverbi di tempo:_ Prima; quindi; poi.

Attività 5 - sicuro - **sicuramente;** veloce - **velocemente;** stupido - **stupidamente;** raro - **raramente;** facile - **facilmente;** forte - **fortemente;** speciale - **specialmente;** povero - **poveramente;** nuovo - **nuovamente;** intelligente - **intelligentemente;** razionale - **razionalmente;** eterno - **eternamente.**

15. E-mail

Attività 2 - lavoro come un mulo = **lavoro moltissimo;** ci siamo fatti un sacco di risate = **abbiamo riso moltissimo;** ci hai dato buca = **non sei venuta ad un appuntamento.**

Attività 3 - Le soluzioni sono soggettive.

16. Protestare
Attività 2 -

riga	significato dell'abbreviazione	abbreviazione
11	Corrente mese	**c.m.**
6	Dottor	**Dr.**
1	Dottoressa	**Dott.ssa**
10	Spettabile	**Spett.le**
32	Vostro	**Vs.**
11	Giorno	**g.**
6	Alla cortese attenzione di	**CA**
2	Viale	**V.le**

Sarebbe interessante discutere sul significato di espressioni quali "vogliate comunicarmi", "provvederò ad informare" e "adire le vie legali". Non sono propriamente locuzioni verbali in quanto, oltre all'aspetto formale includono altre caratteristiche semantiche: "vogliate comunicarmi" è un imperativo attenuato dall'uso di volere (troppo forte e fuori registro sarebbe "comunicatemi". Altre formule avrebbero potuto essere "vi invito a", "vi prego di", ma non avrebbero avuto la stessa forza espressiva della forma "vogliate"); "provvederò ad informare" risulta più dinamico e forte di "informerò"; "adire le vie legali" è espressione di gergo giuridico che significa "fare causa", "denunciare".

Attività 3 -

riga	espressione verbale	significato
18	Vi faccio presente	**vi comunico**
32	Resto in attesa	**aspetto**
32	Vi porgo distinti saluti	**vi saluto**

Attività 4 -

riga	frase implicita	frase relativa
12-13	da me non sollecitati	**che io non ho sollecitato**
13-14	da me richiesto	**che io non ho mai richiesto**
14	aventi tutti	**che hanno tutti**

Attività 5 - Fornire **una risposta** (= **rispondere**); 2. Dare **conferma** (= **confermare**); 3. Dare **comunicazione** (= **comunicare**); 4. Fare **richiesta** (= **richiedere**); 5. Prendere **nota** (= **annotare**); 6. Porgere **i saluti** (= **salutare**); 7. Avere **la possibilità** (= **potere**); 8. Prendere **una decisione** (= **decidere**); 9. Avere **il dovere** (= **dovere**); 10. Dare **l'avvio** (= **avviare**); 11. Prendere **visione** (= **visionare**); 12. Giungere **alla conclusione** (= **concludere**).

riga	gerundio	frase esplicita
18	essendo io	**poiché io sono**
19	riempiendomi	**poiché mi riempie**
21	essendo costretta	**poiché sono costretta**

Soluzioni

Attività 7 -

Orizzontali:

	Definizione		Abbreviazione
	pagina	3	pag.
	signora	5	Sig.ra
7	Nota Bene		**n.b.**
	giorno	8	g.
	via	9	V.
	anno corrente	10	a.c.
14	Dottore		**Dr.**
	eccetera	15	ecc.
	vostro	18	vs
	Chiarissimo	19	Chia.mo *(per professori universitari)*
	Casella Postale	21	C.P.
	corso	23	c.so
26	Società a responsabilità limitata		**S.r.l.**
	Egregia	27	Egr. *(femminile)*
	Illustrissimo	28	Ill.mo *(titolo onorifico)*
	Monsignore	30	Mons.
	telefono	31	tel.
32	Conto Corrente Postale		**CCP**

Verticali:

	Definizione		Abbreviazione
1	giorni		**gg.**
	Dottoressa	2	Dott.ssa
	pagine	3	pp.
	Egregio	4	Egr. *(maschile)*
5	Società Per Azioni		**S.P.A.**
	Professore	6	Prof.
	Nota bene	7	N.B.
	onorevole	11	on.
	per esempio	12	p. es.
	Fratelli	13	F.lli
	come sopra	16	c.s.
	Avvocato	17	Avv.
20	Codice di Avviamento Postale		**C.A.P.**
21	compagnia		**CO.**
	presso	22	c/o
	Egregi	24	Egr.i
	Viale	25	V.le
29	Società		**Soc.**

17. Corrispondenza

Attività 1 - a. *Formula di apertura:* "Caro Beppe, cari Italians" - *Formula di chiusura:* "Vi saluto"; b. formale/informale; c. le risposte sono soggettive.

Attività 2 - Una domanda retorica è una domanda che non chiede informazioni, bensì la conferma di ciò su cui lo scrittore finge di interrogarsi o di interrogare. Di fatto la domanda retorica è una formulazione affermativa, di natura vicina all'esclamazione.

Attività 3 - La soluzione non è univoca. Qui sotto una proposta.

lettera commerciale: Egregio Presidente, - Gentile dott. Rossi, - Spett.le ditta,

lettera amichevole: Ciao Roberto, - Mio caro Giorgio, - Cara Marta, - Spett.le ditta, - Roberto!

e-mail: Gentile dott. Rossi, - Ciao Roberto, - Mio caro Giorgio, - Cara Marta, - Salve a tutti, - Roberto! - (Nessuna formula di apertura)

cartolina: Ciao Roberto, - Mio caro Giorgio, - Cara Marta, - Salve a tutti, - Roberto! - (Nessuna formula di apertura)

lettera formale: Egregio Presidente, - Gentile dott. Rossi, - Spett.le ditta, - Chiarissimo Professore,

Attività 4 - La soluzione non è univoca. Qui sotto una proposta.

lettera commerciale: Cordialmente. - Distinti saluti. - Cordiali saluti.

lettera amichevole: Beh, ciao, alla prossima. - A presto - Ti abbraccio. - Un bacio. - Ciao ciao.

e-mail: Beh, ciao, alla prossima. - A presto. - Con i migliori saluti. - Ti abbraccio. - Un bacio. - Ciao ciao. - Cordialmente. - Distinti saluti. - Cordiali saluti. - Ora ti saluto, ti riscrivo con più calma domani.

cartolina: Beh, ciao, alla prossima. - A presto. - Ti abbraccio. - Un bacio. - Ciao ciao.

lettera formale: Con i migliori saluti. - Cordialmente. - Distinti saluti. - Cordiali saluti.

Attività 7 - Possibile soluzione:

1. Nessuno di noi sa come si forma il plurale, ad esempio, nella lingua russa!
2. Non siamo in grado di formare il plurale di perestroika!
3. Se dovessimo veramente seguire la regola dichiarata da Beppe, dovremmo allora dire "jean" al posto di "jeans"!
4. Molte volte avete visto scritte anche le sigle!
5. Sono certo che il termine "Vips" non vi piaccia!

Attività 8 - Le soluzioni sono nei testi originali indicati nella colonna di sinistra.

Attività 9 - Possibile soluzione:

1. Gentile Presidente del Consiglio, - Cordialmente.
2. Ciao ciao, - Un bacio.
3. Spett.le ditta, - Distinti saluti.
4. Cari colleghi, - A presto.
5. Gentile Professor Mascagni, - Con i migliori saluti.
6. Salve a tutti! - Ci vediamo.

Attività 10 - *e-mail:* n° 2 e n° 4; *cartolina:* n° 6.

Attività 5 -

formula per:		formule, da meno formale a più formale	tipo di corrispondenza
apertura	1	(Nessuna formula di apertura)	cartolina, e-mail
	2	Roberto!	cartolina, e-mail, lettera amichevole
	3	Ciao Roberto,	cartolina, e-mail, lettera amichevole
	4	Salve a tutti,	cartolina, e-mail
	5	Cara Marta,	cartolina, e-mail, lettera amichevole
	6	Mio caro Giorgio,	cartolina, e-mail, lettera amichevole
	7	Gentile dott. Rossi,	lettera formale, lettera commerciale, e-mail
	8	Egregio Presidente	lettera formale, lettera commerciale
	9	Chiarissimo Professore,	lettera formale
	10	Spett.le ditta	lettera commerciale, lettera formale
chiusura	1	Ciao ciao.	cartolina, e-mail, lettera amichevole
	2	Beh, ciao, alla prossima.	cartolina, e-mail, lettera amichevole
	3	Ora ti saluto, ti riscrivo con più calma domani.	e-mail
	4	Un bacio.	cartolina, e-mail, lettera amichevole
	5	A presto.	cartolina, e-mail, lettera amichevole
	6	Ti abbraccio.	cartolina, e-mail, lettera amichevole
	7	Con i migliori saluti.	e-mail, lettera formale
	8	Distinti saluti.	e-mail, lettera formale, lettera commerciale
	9	Cordiali saluti.	e-mail, lettera formale, lettera commerciale
	10	Cordialmente	e-mail, lettera formale, lettera commerciale

Soluzioni

18. Opinione

Attività 1 - Studente A e Studente B: A. trama del film.

Attività 2 - "Non voglio dire che" - *Introduce una conclusione a cui potrebbe arrivare il lettore ma che non rispecchia l'idea dell'autore;* "anche se" - *Introduce un concetto che toglie forza ad un altro espresso in precedenza;* "In realtà" - *Introduce una considerazione che si deve fare per correttezza;* "ma" - *Introduce un concetto che limita un altro concetto espresso in precedenza;* "certo" - *Introduce una considerazione ovvia;* "invece" - *Introduce un'alternativa considerata migliore rispetto ad un'altra espressa in precedenza;* "forse però" - *Introduce un'ipotesi che spiegherebbe la mancata realizzazione di una considerazione espressa in precedenza;* "ahimè" - *Indica un dispiacere nel concetto che si sta esprimendo.*
N.B.: Questa attività è molto complessa se orientata alla mera soluzione individuale del compito. Obiettivo principale dovrebbe infatti essere il far riflettere gli studenti sulle funzioni dei connettori. Particolarmente importante risulta quindi la fase di confronto a coppie, anche cambiandone più volte la composizione, a cui dovrebbe essere dedicata la maggior parte del tempo.

Attività 3 - La soluzione è il testo dell'attività 1 - Studente B.

19. Esposizione

Attività 2 - **vizio** *più grave;* **vizi** *capitali;* **insidie** *inaspettate; principale* **motivo;** *recenti* **studi;** *utilissimi* **sistemi;** *eccessiva* **distrazione;** **velocità** *elevata; cattive* **abitudini;** *mancato* **uso;** **reazioni** *emotive; particolare* **menzione;** *principale* **causa;** *continue* **violazioni;** *effettiva* **ignoranza;** **norme** *basilari;* **specchietti** *retrovisori;* **frenate** *corrette;* **traiettoria** *esatta; scarsa* **valutazione;** **condizioni meteorologiche** *avverse; cattiva* **manutenzione.**
• L'aggettivo **prima del sostantivo** ➔ non aiuta a identificare l'oggetto a cui si riferisce ma lo descrive o lo valuta.
L'aggettivo **dopo il sostantivo** ➔ aiuta a identificare di quale aspetto del sostantivo si vuole scrivere.

Attività 3 - La soluzione è il testo dell'attività successiva, la n° 4.

Attività 6 - Possibile soluzione:
1. Ti ho fatto un **piccolo** regalo. - Ti ho fatto un regalo **piccolo**.
2. Per venire a trovarti ho preso la **vecchia** strada. - Per venire a trovarti ho preso la strada **vecchia**.
3. Quello è un **cattivo** medico. - Quello è un medico **cattivo**.

20. Formalità

Attività 1 - La lettera originale è la n° 2.

Attività 3 - Possibile soluzione:
- Alcuni esponenti del nostro gruppo di attivismo nell'area della prevenzione dei rischi da fumo hanno già inviato varie comunicazioni a molti di voi.
- I lavoratori che prestano servizio nelle aree per fumatori e i gestori che, per vari motivi, non potranno adeguare i propri locali, secondo noi potrebbero avere degli svantaggi da tali deroghe.
- Ci auguriamo vivamente, dato che in ambito parlamentare c'è al momento sensibilità nei confronti di questo problema, che non si verifichino ulteriori rinvii per la soluzione di un problema definito prioritario dalla letteratura scientifica internazionale e dal nostro Piano Sanitario Nazionale.

Attività 4 - vedere approvata in tempi brevi una legge che **estenda** il divieto di fumare… *(in questo caso viene usato il congiuntivo perché dipendente dal "che" relativo. In una frase relativa, il congiuntivo esprime il requisito che si richiede al termine a cui si riferisce il pronome relativo. In questo caso il pronome "che" si riferisce alla legge e il requisito che viene richiesto alla nuova legge è quello di estendere il divieto di fumare);* ci auguriamo vivamente che non **si verifichino** ulteriori rinvii *(qui è usato il congiuntivo perché dipendente da un verbo che esprime speranza, desiderio come "ci auguriamo").*

Attività 5 - "…milioni di italiani, fumatori e non, concordano sulla necessità e sull'urgenza di vedere approvata in tempi brevi una legge che estenda il divieto di fumare a tutti i locali aperti al pubblico e ai luoghi privati di lavoro senza la possibilità di deroghe derivanti dall'uso di aspiratori o dalla presenza di aree separate."

Attività 6 -

È stato segnalato a questa amministrazione che l'abitudine all'uso della telefonia cellulare si sta diffondendo anche nel mondo della scuola. La questione è stata **peraltro** oggetto di una interrogazione parlamentare **nella quale** viene denunciato l'utilizzo del cosiddetto "telefonino" da parte dei docenti durante le ore di lezione. **È chiaro che** tali comportamenti - **laddove** si verifichino - non possono essere consentiti **in quanto** si traducono in una mancanza di rispetto nei confronti degli alunni e recano un obiettivo elemento di disturbo al corretto svolgimento delle ore di lezione che, per legge, devono essere dedicate esclusivamente all'attività di insegnamento e non possono essere utilizzate - **sia pure** parzialmente - per attività personali dei docenti. **Premesso quanto sopra** si invitano le SS.LL. a portare a conoscenza dei Capi delle istituzioni scolastiche il contenuto della presente circolare **affinché** ne informino il dipendente personale scolastico.

21. Letteratura

Attività 2 - 1. Mi svegliai, una mattina, nella mia camera da letto, davanti alla finestra aperta. **2.** La prima cosa che vidi, aprendo gli occhi, fu un magnifico cielo limpido. **3.** Benedissi il giorno in cui avevo deciso di andare a vivere in campagna **4.** e decisi di prendermi una giornata di pausa. **5.** "Oggi niente ufficio e niente computer - dissi alla mia immagine allo specchio mentre mi facevo la barba -, mi vado a fare una bella passeggiata nel bosco". **6.** Camminai a lungo tra i raggi del sole che penetravano dalle cime degli alberi, guardando con attenzione ciò che mi circondava e vivendo con avidità le sensazioni.

Attività 4 -

• Il tempo base del racconto è il **passato remoto**.
• "Il carro" è un racconto **per ragazzi**.
• La soluzione di questo compito è soggettiva.
• Il verbo "si fu fermato" è un **trapassato remoto**. Il trapassato remoto indica un'azione che si è svolta prima di un'altra azione il cui tempo è il passato remoto. In questo caso "mi avvicinai" è successiva a "si fu fermato".

Alma Edizioni
Italiano per stranieri

Giocare con la fonetica è rivolto a tutti quegli insegnanti di italiano L2 "intimoriti" dalla fonetica che spesso, pur ritenendo di grande utilità per gli studenti lavorare sulla pronuncia, non sanno esattamente come e cosa proporre durante le lezioni.

Questo testo propone un approccio ludico, dinamico e coinvolgente all'argomento, attraverso una grande quantità di attività, giochi, role-play, esercizi, con istruzioni sullo svolgimento, **materiale fotocopiabile** e agili schede di sintesi teorica.

Il corso è interessante anche per lo studente autodidatta, poiché prevede anche una sezione con esercizi da svolgere a casa o nel laboratorio linguistico. Sono incluse le soluzioni.

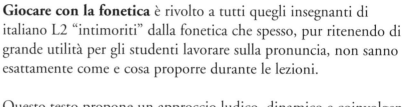

Da zero a cento presenta un'ampia gamma di test a punti per valutare la conoscenza della lingua italiana, in relazione ai 6 livelli del Framework (il *Quadro comune europeo di riferimento per le lingue* elaborato dal Consiglio d'Europa), da A1 a C2.

I test, graduati secondo una difficoltà progressiva, permettono allo studente di "mettersi alla prova" in italiano, in una gustosa e motivante sfida con la lingua, e di verificare il proprio livello di conoscenza in modo immediato grazie ai punteggi.

Oltre a esercitare lo studente nell'uso della lingua, i test forniscono numerose informazioni e curiosità sulla storia, la cultura, le abitudini e le tradizioni italiane. Sono incluse le soluzioni.

ALMA EDIZIONI
viale dei Cadorna, 44
50129 Firenze - Italia
tel ++39 055476644
fax ++39 055473531
info@almaedizioni.it
www.almaedizioni.it